ちくま新書

エネルギー危機の深層

——ロシア・ウクライナ

来

原田大輔
Harada Daisuke

1748

エネルギー危機の深層──ロシア・ウクライナ戦争と石油ガス資源の未来【目次】

はじめに

2022年9月29日、筆者はロンドンで開催されていたエネルギーカンファレンスで、天然ガス市場の現状と見通しを扱うパネルディスカッションにアジアからの演壇者として参加していた。

会議場は欧州各国のガス産業関係者やトレーダーで埋め尽くされており、熱気と不安が入り混じった真剣な雰囲気に包まれていた。会議の3日前に、独露を結ぶ天然ガスパイプライン「ノルド・ストリーム」が何者かによって爆破されたばかりであり、漏れ出したおびただしい量のガスがバルト海上に数百メートルにおよぶ巨大な泡を作り出しているさまを欧州のテレビは連日報道していた。ロシア・ウクライナ戦争開始から7か月が過ぎ、この戦争はすぐには終わらないだろうという認識も広まりつつあったし、1か月前にはロシアが「ノルド・ストリーム」を止めたことで、欧州の天然ガス価格はありえないレベルまで暴騰したばかりだった。

「ノルド・ストリーム」破壊工作が誰によって実行されたのかは今も不明だが、ロシア・

ウクライナ戦争が、エネルギーインフラ破壊という形で欧州域内であるバルト海にまで及んだのである。

ソ連時代から続く欧露のエネルギー協力の象徴たる天然ガス、そして独露という欧州最大のガス需要家と世界最大級のガス生産者を結ぶ「懸け橋」が失われたという喪失感。欧州はこの冬を乗り切れるのか、一般消費者は高額なガス・電気料金を許容できるのか、脱ロシアは脱炭素を加速するのか、否、足元のエネルギー需給をバランスさせるには化石燃料に回帰せざるを得ないのではないか——。このような先行きに対する不透明感が会議におけるディスカッションの中心にあった。

欧州だけの問題ではない。欧州におけるエネルギー価格の高騰は国際市場で結ばれたアジアにも影響を与えてきた。欧州が進めようとしている脱ロシアはエネルギー供給源の争奪戦にもつながる。その中で、米国はエネルギー供給者として台頭しようとしており、中国はロシアが迫られる欧州市場代替先として、安価なエネルギー受容者として漁夫の利を得ることになる。筆者はこのような内容を統計データとともに会場で紹介したのだが、会場にいる数百人の欧州の市場関係者にぜひ問いたい質問があった。

「欧州諸国は今後ロシア産エネルギーを買わないのか？」

「ロシアに対するエネルギー供給者としての信頼の復活はありえないのか？」

最近の国際会議は便利で、プロジェクターで映し出されたQRコードをスマホで読み込めば、参加者はアプリで回答ができ、即時集計されたパーセンテージが表示できるようになっている。筆者が用意した回答の選択肢は次の三択だった。

①No（もうロシア産エネルギーは買わないし、信頼の復活はない）
②Yes, but it takes decades（再び買うまで、信頼が復活するまで相当の時間がかかる）
③Conditionally, Yes（条件によっては買うし、信頼も復活するだろう）

はたして、筆者の2つの質問に対する会場からの回答はまったく同じ割合を示す、分かりやすいものだった。それは①が97%で②が3%、③を支持する回答はなかった。③を選んで、おおっぴらに「条件次第ではロシア産エネルギーを買う」と言えるような雰囲気ではないのも確かだった。英国の石油メジャーであるシェルはロシアによるウクライナ侵攻後も安価なロシア産原油取引を継続したことで「血塗られた石油を扱う企業」として叩かれ、取引を停止し、得た利益はウクライナの人々を支援する寄付に充てることを表明させられていたからである。

この結果は、実際にエネルギー取引に関与している実務担当者の見方であり、ロシア・

ウクライナ戦争を感情的に捉えているというより、経済的観点からのロシア産エネルギーに対する信頼失墜の深刻さとその回復の難しさが表れたものと見ることができる。ロシアはソ連時代から欧州にとってリーズナブルで信頼のあるエネルギー供給者であったが、その半世紀以上にわたって築かれた関係がウクライナ侵攻からたった半年余りの間に瓦解してしまったこと、その深刻さを裏付ける結果だった。

なぜロシアは長年にわたって築いてきた欧州諸国の信頼を毀損《きそん》する道を選んだのか。この問いは、今なお続くロシア・ウクライナ戦争に対する根源的な問い、「なぜロシアはウクライナへ侵攻したのか」にもつながる。

本書執筆に際して当初念頭にあったのは、ロシア・ウクライナ戦争をあまり語られることのないエネルギーの側面から読み解いていくことであった。ロシアとウクライナの対立の背景にあった積年のエネルギー問題や、侵攻直後から発動された西側諸国による石油禁輸を含む対露制裁と、それに対するロシアの対抗策を読み解くことで、現在進行形で起こっている「世界エネルギー危機」の詳細とその背景について、統計データとファクトに基づき明らかにしていくことをめざしていた。

しかし、書き進めれば進めるほど、この戦争だけを切り出すことはできず、その前から始まっていた新型コロナウィルスによる経済停滞とエネルギー需要の著しい減少、その復興のための起爆剤として期待され、世界潮流となっていったカーボンニュートラルという地殻変動に触れないわけにはいかないという思いが強くなっていった。今や「世界のコンセンサス」となったとも言われる脱炭素に対する世界の熱狂について、私たちは本当に化石燃料の呪縛から解放されるのか、脱炭素社会の実現は可能なのか、その実現には何が課題となっているのかという疑問への回答も求められる。世界が一次エネルギー供給の8割弱、電源構成の7割強を化石燃料に依存する今、これらの疑問に対して、正確な情報を伝え、率直な意見を述べなければ意味がない。そして、世界のエネルギー分野で今起こっていることが日本にどのような影響を及ぼすのか、日本にはどのような選択肢があるのかについても触れなければ画竜点睛を欠くことになる。

このように、今世界で起きているエネルギー情勢を過不足なく読者の方々へ伝えたいという思いが次々と膨らみ、最終的に導き出されたのが本書の各章立てとなる。

ロシアで最も著名な19世紀の詩人のひとりであり、外交官でもあったフョードル・チュッチェフは、ロシアについて「知にてロシアは解し得ず」の詩句から始まる有名な詩を残している（原、1996）。

知にてロシアは解し得ず
並みの尺では測り得ぬ
そはおのれの丈を持てばなり
ロシアはひたぶるに信ずるのみ

Умом Россию не понять,
Аршином общим не измерить:
У ней, особенная стать –
В Россию можно только верить.

ロシアを専門とする者には広く知られているこの詩は、長くロシアを概観する者にとって否定しがたい、示唆に富むものであった。しかし、今や少なくとも西側諸国は、ロシア・ウクライナ戦争によって、ロシアを「ひたぶるに信ずる」ことはできない状況にある。

本書は「知にて解し得ず」とチュッチェフが達観するロシアについて、それでも理解すべく、これまでロシアに携わりながら得られた知見や継続的な情報収集・分析の中から、現下のエネルギー情勢を理解するうえで重要な事象や、一般報道ではあまり出てこない深みにあるファクトを取りまとめたものでもある。本文の記述からも明らかなように、今日のエネルギー情勢においては陰に陽にロシアが決定的に重要な役割を演じている。ロシアを軸としてその動向を押さえていくことは、エネルギー資源をめぐる情勢や、ひいては政治経済も含めた国際的な動向を理解するための有用な手段であり、その先を見定めるうえで重要な視座となる。エネルギー情勢に特化する本書では、できるだけ分かりやすく、しかしあえてマニアックな内容も排除せず、さまざまな情報を提供するように心がけた。読者の方々の関心を少しでも満たし、複雑怪奇にも見える石油ガス資源を中心とするエネルギー情勢についての理解が深まれば幸いである。

【参考】エネルギー関連統計（上位５か国およびロシアを抽出）

①石油確認埋蔵量

順位	国	確認埋蔵量（億バレル）	可採年数	世界におけるシェア
1	ベネズエラ	3,038	500年以上	17.5%
2	サウジアラビア	2,975	73.6年	17.2%
3	カナダ	1,681	89.4年	9.7%
4	イラン	1,578	139.8年	9.1%
5	イラク	1,450	96.3年	8.4%
6	ロシア	1,078	27.6年	6.2%
	世界全体	17,324	53.5年	

※2020年末時点の数値（出所：Energy Institute 統計2023［旧 BP 統計］）

②天然ガス確認埋蔵量

順位	国	確認埋蔵量（TCM）	可採年数	世界におけるシェア
1	ロシア	37.4	58.6年	19.9%
2	イラン	32.1	128.0年	17.1%
3	カタール	24.7	144.0年	13.1%
4	トルクメニスタン	13.6	230.7年	7.2%
5	米国	12.6	13.8年	6.7%
	世界全体	188.1	48.8年	

※ TCM：兆立方メートル。2020年末時点の数値（出所：同上）

③石油生産量

順位	国	生産量（日量1000バレル）	世界におけるシェア
1	米国	17,770	18.9%
2	サウジアラビア	12,136	12.9%
3	ロシア	11,202	11.9%
4	カナダ	5,576	5.9%
5	イラク	4,520	4.8%
	世界全体	93,848	

※石油には原油、シェールオイル、オイルサンド、コンデンセートおよび NGL（天然ガス液）が含まれる（出所：同上）

④天然ガス生産量

順位	国	生産量（年間 BCM）	世界におけるシェア
1	米国	978.6	24.2%
2	ロシア	618.4	15.3%
3	イラン	259.4	6.4%
4	中国	221.8	5.5%
5	カナダ	185.0	4.6%
	世界全体	4,043.8	

※ BCM：十億立方メートル（出所：同上）

⑤石油消費量

順位	国	消費量（日量1000バレル）	世界におけるシェア
1	米国	19,140	19.7%
2	中国	14,295	14.7%
3	インド	5,185	5.3%
4	サウジアラビア	3,876	4.0%
5	ロシア	3,570	3.7%
	世界全体	97,309	

（出所：同上）

⑥天然ガス消費量

順位	国	消費量（年間 BCM）	世界におけるシェア
1	米国	881.2	22.4%
2	ロシア	408.0	10.4%
3	中国	375.7	9.5%
4	イラン	228.9	5.8%
5	カナダ	121.6	3.1%
	世界全体	3,941.3	

（出所：同上）

⑦主要国の石油輸出量

順位	国	輸出量（日量1000バレル）	世界におけるシェア
1	サウジアラビア	7,336.0	17.1%
2	ロシア	5,323.0	12.4%
3	カナダ	4,028.0	9.4%
4	イラク	3,840.9	9.0%
5	米国・UAE	3,476.9	8.1%
	世界全体	42,815.3	

（出所：同上）

⑧主要国の天然ガス輸出量（パイプライン）

順位	国	輸出量（年間 BCM）	世界におけるシェア
1	ロシア	125.3	17.4%
2	ノルウェー	116.8	16.3%
3	米国	82.7	11.5%
4	カナダ	82.1	11.4%
5	トルクメニスタン	40.7	5.7%
	世界全体	718.4	

（出所：同上）

⑨主要国の天然ガス輸出量（液化天然ガス・LNG）

順位	国	輸出量（年間 BCM）	世界におけるシェア
1	カタール	114.1	21.0%
2	オーストラリア	112.3	20.7%
3	米国	104.3	19.2%
4	ロシア	40.2	7.4%
5	マレーシア	37.4	6.9%
	世界全体	542.4	

（出所：同上）

⑩一次エネルギー消費量

順位	国	一次エネルギー消費量（EJ）	世界におけるシェア
1	中国	159.4	26.4%
2	米国	95.9	15.9%
3	インド	36.4	6.0%
4	ロシア	28.9	4.8%
5	日本	17.8	3.0%
	世界全体	604.0	

（出所：同上）

⑪エネルギー利用起源の二酸化炭素排出量

順位	国	排出量（年間百万 CO_2 トン）	世界におけるシェア
1	中国	10,550.2	30.7%
2	米国	4,825.8	14.0%
3	欧州連合	2,725.4	7.9%
4	インド	2,595.8	7.6%
5	ロシア	1,457.5	4.2%
	世界全体	34,734.1	

※上記二酸化炭素排出量は、石油、ガス、石炭の消費を伴うもののみを反映
（出所：同上）

⑫世界のエネルギー源別総エネルギー供給量の見通し

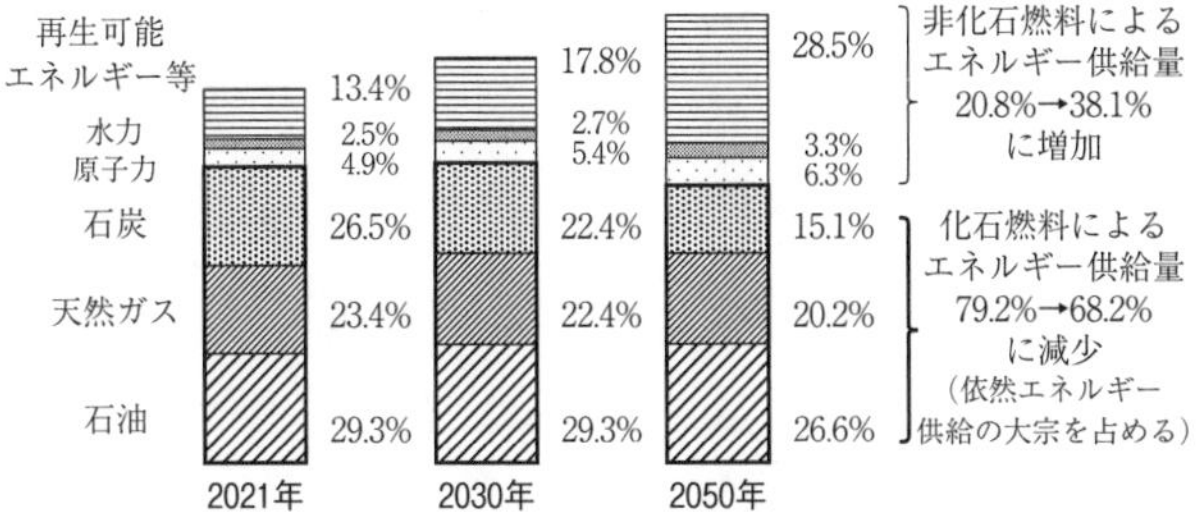

※ IEA 世界エネルギー見通し2022年における STEPS（Stated Policies Scenario：現行の政策に基づくシナリオ）をベースに作成

⑬世界の電源構成の見通し

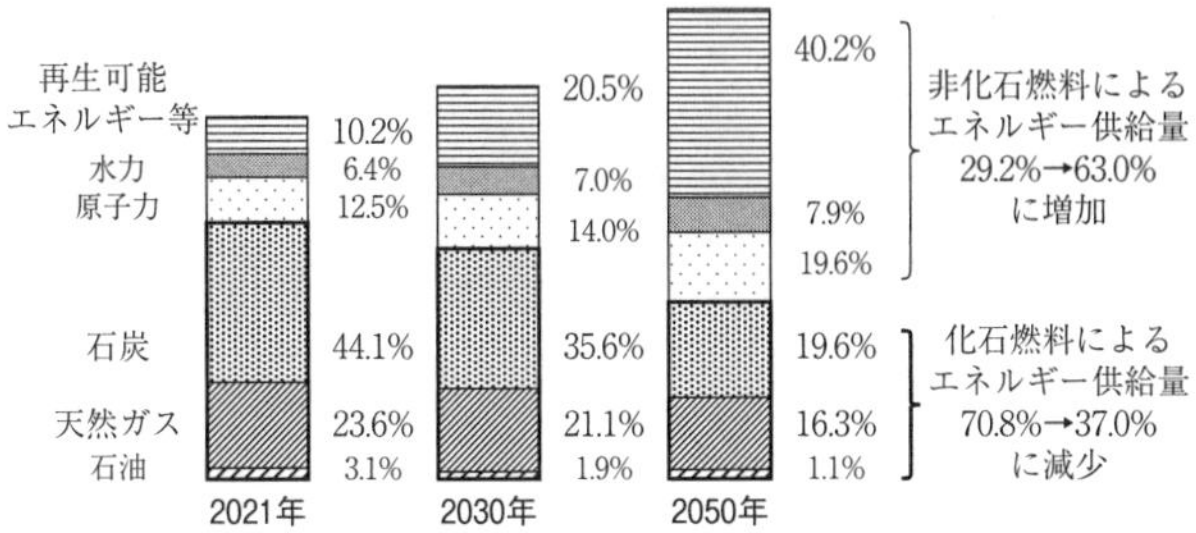

※ IEA 世界エネルギー見通し2022年における STEPS をベースに作成

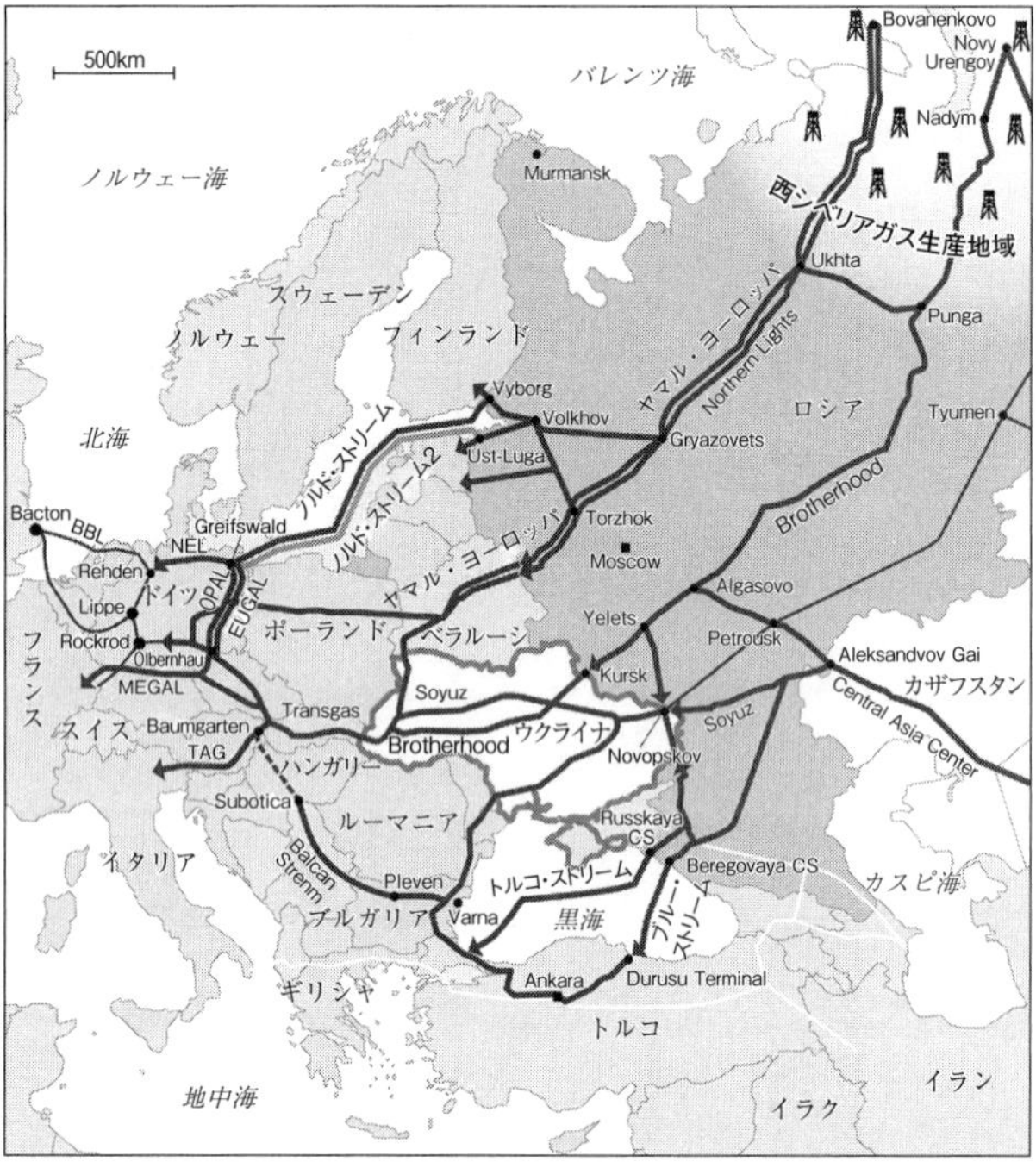

⑭ロシアの欧州向け天然ガス輸出パイプライン（出所：筆者作成）

序　章

激変するエネルギー資源情勢

2022年2月24日、「特別軍事作戦」によってウクライナへ侵攻したことを発表するプーチン大統領（出所：ロシア大統領府）

†史上初のエネルギー危機

「今、世界は史上初のエネルギー危機の真っ只中にあり、その引き金を引いたのがロシアによるウクライナ侵攻である」。国際エネルギー機関（IEA）は最新の世界エネルギー見通しにおいて、このように述べている。2023年4月に札幌で開催されたG7気候・エネルギー・環境大臣会合の共同声明においても「エネルギー危機」が取り上げられた。そこでは現在の危機がクリーンエネルギーへの移行を加速するものであり、化石燃料への依存を減らし、エネルギー分野への追加投資を促進・多様化することの重要性が強調された。さらに続く5月のG7広島サミットの首脳声明では「地球は、気候変動、生物多様性の損失及び汚染という3つの世界的危機並びに進行中の世界的なエネルギー危機からの未曾有の課題に直面している」との文言が盛り込まれた。

このようにまさに現在、エネルギー危機が進行中であるとの認識が国際的なコンセンサスとなっている。だが、読者の中には本当に今が「史上初のエネルギー危機の真っ只中」なのかと疑問に思われる方もいるかもしれない。日本では確かに足元では2022年以降、電力ガス代金は急速に上がりつつあるが、供給途絶や電力のブラックアウトが起きているわけではないし、危機という言葉は大袈裟ではないかという感覚を持たれるのも無理はない。

これまで世界は、生活と経済活動に不可欠なエネルギーにおいて、とりわけ世界最大の流通コモディティである石油とその市場を中心に、おもに地政学リスクの高まりから複数の危機をすでに経験してきた。それは具体的には1970年代の第4次中東戦争やイラン革命によって生じた2度にわたる石油危機、21世紀に入ってからはそれまで10ドル台で推移してきた原油価格が、中国需要の急速な伸びと先物市場への投機資金の集中によって史上最高値を更新(2008年7月にバレル当たり147ドルを記録)したことを挙げることができる。また、東日本大震災に伴って発生した福島第一原子力発電所事故とそれに伴う天然ガス価格の高騰等も局所的なエネルギー危機であったと言えるだろう。

そのような中で、今、IEAが「史上初の危機」とことさらに指摘するのはいたずらに不安を煽っているわけではもちろんない。ロシアによるウクライナ侵攻前から、世界では新型コロナウィルスの世界的流行に伴う経済停滞とエネルギー需要の縮小、そしてその経済回復の起爆剤としての欧州発の脱炭素政策の大推進、とりわけその象徴となった2021年COP26(国連気候変動枠組条約第26回締約国会議)という世界規模での脱化石燃料へ向けた潮流の拡大という、エネルギー分野全体に影響を及ぼすような巨大な波が押し寄せようとしていた。ただ、これら自体は危機というよりは変化であり、これから時間をかけて取り組むべき新たな事象だったとも言える。そこに発生し、事態をさらに深刻かつ複雑にするトリガーとなったのが、2022年2月から始まったロシアによるウクライナ侵攻であった。

ウクライナ侵攻は、コロナ禍からの経済回復による需要増や再生可能エネルギーの季節的不調、石油・天然ガス、石炭、そしてエネルギー全体へ派生したコスト上昇が市場への圧力を強めていたさなかに起きた。侵攻とそれに伴う欧米制裁の発動は石油市場の高騰を引き起こし、さらに炭化水素資源の中でも環境負荷が低く、脱炭素に向けた移行期のエネルギー源として長期的に注目されてきた天然ガス市場においては、大産ガス国であるロシアが能動的に供給途絶と価格高騰を演出している。

ウクライナ侵攻を受けて、欧州では急速に脱ロシアの動きが進行し、太陽光や風力等の再生可能エネルギーへのシフトを強化しているが、天候に左右されるがゆえのエネルギー安定供給における脆弱性を依然克服できていない。そのバックアップとなってきた天然ガスは、制裁に対抗すべくロシアが輸出量調整によって欧州市場に混乱をもたらし、その影響は世界市場へと波及している。

このようにエネルギー市場はかねてよりさまざまな課題を包含しており、そこに発生したロシアによるウクライナ侵攻が状況をさらに悪化させた。ＩＥＡは、こうした一連の出来事が一体となって前例のない規模と複雑さを伴うエネルギー危機に世界を陥れ、すべての国、特に価格高騰の影響を受けやすくエネルギーアクセスが限定的な脆弱な人々により深刻な影響を与えようとしていると、警鐘を鳴らしているのだ。

また、今進行しているエネルギー危機は、戦争の発生を引き金にしており、禁輸措置・制裁発動がその中心にあったという点では１９７０年代の石油危機と類似しているものの、そこには重要な違いがあることも指摘されている。それは、過去の危機は世界が石油への依存度を大幅に高める中で発生し、おもに石油に限定されていたという点である。実現は簡単ではなかったが、各国政府は石油輸入への依存を減らすという解決に向けた明確な方向性を理解していた。しかし、現在の危機は石油に留まらない。その影響は天然ガスを中心にさまざまなエネルギー源、気候変動問題にまでおよび、50年前よりもはるかに拡大し相互に結びついた世界経済は、その影響を市場を通じて即時に伝播させる。

ロシア情勢を中心に、世界のエネルギー動向を長年見てきた筆者もその認識に同意せざるを得ない。ここ5年という短い間に相次いで発生した事象が積み重なり、相互に連関することによって、世界のエネルギー情勢にこれまでにない不確実性をもたらしている。新型コロナウィルスの世界的流行、脱炭素への世界潮流の形成、そして、ロシア・ウクライナ戦争の勃発と西側諸国による対露制裁の発動、エネルギー輸出大国ロシアのなりふり構わぬ対抗策。これらの結果、我々は短期だけでなく、中長期にわたっても、不安定なエネルギー情勢に振り回されるリスクにさらされることになるだろう。

以下、前置きとして、世界のエネルギー情勢において現在どのような問題が焦点となっており、それらが「史上初の危機」にどう関与しているのかさらに詳しく見てみよう。

✝ロシア・ウクライナ戦争がもたらしている2つの激震

石油市場、天然ガス市場では、2つの激震が走っている。ロシアによるウクライナ侵攻から2週間も経たずに、G7の一部の国等（米国・英国・カナダ・オーストラリア）がロシア産エネルギーの禁輸に踏み込み、4か月後にはG7諸国に加え、欧州連合ならびにその方針に従ったノルウェーおよびスイスもロシア産石油の禁輸に加わった。ロシアは世界の原油供給の12％を占めてきた大産油国であり、石油輸出はロシア財政の本丸である。その石油禁輸に加え、高油価にあってもその収入を断つべく、まったく新たな制裁方法も編み出された。それが2022年12月5日から実装されたロシア産石油価格に対する上限設定措置である。大市場である欧州などからのロシア産石油の拒絶と価格上限設定によってどのような混乱が市場にもたらされるのか。これが石油市場における激震である。

一方の天然ガス市場においては、ウクライナ侵攻後、たった半年の間にすでに2度にわたって、史上最高値を更新してきた。天然ガスは原油とは異なり供給余力がロシアにしか存在せず、途絶が起きれば市場は急騰するため、地政学的な武器となりうる。このことを熟知しているロシアは、2022年6月から欧州最大のガス需要国であるドイツへのパイプライン「ノルド・ストリーム」のガス輸出量を縮小させ始め、8月にはついに完全に停止してしまった。そのときの価格は、瞬間風速ながら石油換算でバレル当たり600ドルに迫る異常値を記録している。

産ガス国ではOPEC（石油輸出国機構）のような価格カルテルは存在しないが、ウクライナ侵攻後、ロシアが行ってきた輸出量調整による価格高騰の演出は、ロシアが一国でのガス版OPECを一時的に創り出したと言っても過言ではない。一時的というのは、その後「ノルド・ストリーム」が何者かの手によって爆破され、輸送再開の目途がまったく立たなくなった結果、少なくとも欧州に対してはもはや武器として使うことができなくなったからである。

ロシア・ウクライナ戦争によって、ロシアはたった半年で2つの重要な資産を失った。ソ連時代から半世紀以上にわたって続いてきた欧州にとってのエネルギー安定供給者としての信頼と、ドル箱である欧州市場である。脱炭素のために化石燃料からの脱却を進める欧州にとって、ロシア・ウクライナ戦争を契機に脱ロシアを加速させることは長期的には理に適っているように見えるが、足元そして中期的には望ましいものではない。短期的にはロシア産ガスは依然として安価なエネルギーとして必要だからである。「ノルド・ストリーム」なき今、そしてソ連時代から続くガスインフラの大動脈であるウクライナが戦場である限り、ロシアに代わって世界で新たな天然ガス供給プロジェクトが立ち上がる2025年から2026年を過ぎるまでは、欧州各国は毎冬のガス需要期に向けて、天然ガス調達に奔走し、価格の乱高下に振り回されることになる。そして、その余波が世界にも波及していくだろう。これが天然ガス市場における激震である。

†OPECとロシア

石油市場における激震を鎮め、市場に混乱を生じさせないために注目が集まるのが、OPEC、そしてロシアなどを含めた協調減産枠組みであるOPECプラスの一挙手一投足だ。ロシア産石油の禁輸に踏み込んだ西側制裁の背景には、OPECを中心とする中東産油国には、ロシアの原油生産量を代替しうるだけの供給余力が存在するという前提がある（逆に天然ガスは現時点ではロシアにしか供給余力がないため、禁輸措置を打ち出すことが難しい）。しかし、そのOPECはこれまで西側の期待を裏切り、対露制裁で苦しむロシアに与《くみ》するような動きを見せている。

2022年11月に中間選挙を控え、国内でガソリン価格が史上最高値を付けたバイデン大統領は、同年7月、これら産油国によるロシア代替のための原油増産へのコミットメントを取り付けに中東を外遊した。直後にはサウジアラビアとアラブ首長国連邦に対する50億ドル規模の武器売却という「お土産」を用意したにもかかわらず、中東産油国は最終的に2023年末まで日量200万バレルという減産方針表明に至った。

この背景には、新型コロナウィルスからの中国の経済回復が遅れており、原油価格が年末に向けて下落基調にあったこと、さらには2020年4月に起きた価格崩壊（サウジアラビアとロシアが袂《たもと》を分かち増産表明を出した結果、原油価格は暴落し、米国の指標原油であるWTI［ウェスト・テキサス・インターミディエイト］はマイナス40ドルを付けるに至った）に対するトラウマもあったのだろう。2020年の価格崩壊は、ロシアとサウジアラビアが復縁し、両国にとっても史上最大の能動的減産を実現することで収束した。そして、2022年はロシアがウクライナに侵攻したことで、石油禁輸を含む対露制裁が発動され、それによって地政学リスクに対する認識が市場で高まった。これを受けて原油市場は年央には120ドル台にまで高騰した。その恩恵はロシアではなく、火事場の対岸にいるOPEC諸国が享受してきたのである。

そして今、世界経済成長が過去最低水準にあり、米国では金融リスクの増大も指摘される一方で、コロナ禍を脱しつつある中国の需要が急速に回復すると価格が上昇し、経済成長を圧迫する可能性が懸念されている。ＯＰＥＣプラスによる日量２００万バレル減産に輪をかけて、主要産油国が自発的に１６６万バレルの追加減産を表明し、２０２４年からの減産幅として１３９万バレル上乗せする方針も示されているからである。

ＯＰＥＣプラスによる高油価を志向するこの動きも石油市場のボラティリティを高め、世界のエネルギー危機を深刻化させるリスクをはらんでいると言えるだろう。

†脱炭素へ舵を切った世界

２０５０年から２０７０年までの実現を各国が目指し始めた脱炭素・カーボンニュートラルという世界潮流も世界のエネルギー情勢に大きな影響を与えようとしている。

２０１９年12月、欧州委員会に新しく就任したフォン・デア・ライエン委員長は、その旗艦的政策に欧州グリーンディールを掲げた。時同じくして新型コロナウイルスが世界で猛威をふるい始め、ロックダウンに伴う経済低迷に対して復興に向けたカンフル剤が求められていた。加盟国間の合意形成と資金調達に問題を抱える欧州グリーンディールだったが、経済復興の起爆剤としての役割に期待が集まり、気候変動対策、脱炭素、そのための水素エネルギーの開発を柱に据える2027年までの多年度財政枠組みと欧州復興基金について全加盟国が合意する。新型コロナウィルスを端緒としたこの流れは各国による脱炭素宣言というかたちで世界に広がり、2021年10月から11月にかけてグラスゴーで開催されたCOP26でピークを迎えていく。

ロシアや中東産油ガス国は、当初この動きを石油ガス離れの加速という脅威として捉えていたようだ。だが、脱炭素の実際が明らかになってくると、この流れは脅威ではなく商機であると映るようになった。たとえば、石油天然ガスに代わるエネルギー密度の高い代替エネルギー源はまだ存在せず、2050年時点でも人類のエネルギー供給の大半は化石燃料に依存し、特に二酸化炭素排出量が少なく環境負荷の低い天然ガスがその主体を担うであろうという楽観的見通しが彼らにはある。また注目される水素エネルギーも、再生可能エネルギー起源の電力で生成される水素では世界の需要を満たすには量的に不十分であり、天然ガスや石炭から抽出する水素が必要となることも予想されている。さらに、今後30年弱で20億人の人口増加が見込まれているが、そのほとんどが発展途上国における人口増加であり、そこでは高価な新エネルギーよりも安価でエネルギー密度の高い化石燃料を使用する可能性も十分に見込まれている。

ロシアには、欧州との間にソ連時代に作られた大規模な天然ガス輸送インフラがすでに存在し、保有する天然ガス埋蔵量は世界最大である。さらに脱炭素に向けた2つの大きなアセットを有している。1つは排出された二酸化炭素を回収し、地下に貯留する（CCS：Carbon dioxide Capture and Storage。さらに回収したCO_2を利用［Utilization］することをCCUSと言う。本書では以後、便宜的にCCUSを使用する）ポテンシャルである。もう1つは、意外にも二酸化炭素を吸収する森林面積である。広大な国土に広がる針葉樹林帯（タイガ）に代表される森林面積は世界最大と言われており（ただし、容積ではないことや管理された森ではないという問題を包含している）、世界が脱炭素に舵を切るということは、これらロシアが保有する資産に今後注目が集まり、そのマネタイズを進めていくチャンスが到来する可能性も意味していた。

しかし、ウクライナ侵攻はそうしたロシアの思惑を根本から変えようとしている。欧州では脱炭素が脱ロシアへ急速に変化してしまった。天然ガスをパイプラインでのみ輸入し、ロシアに大きく依存してきた欧州最大の需要国であるドイツですら、侵攻からごく短期間のうちに、ロシア産ガスに代わる液化天然ガス（LNG）の輸入体制を整え、2022年12月には最初のLNG輸入を始めてしまった。十分な天然ガス輸送インフラを活用し、ロシアからドイツへ水素を供給する計画も、侵攻とロシアによる天然ガス供給停止による信頼の失墜によって半永久的に頓挫している。

✝エネルギーのトリレンマ

このような中、「エネルギーのトリレンマ」という言葉がよく聞かれるようになった。トリレンマとは、そもそも90年代から、世界人口が急激に増加する見通しに対して、経済成長とそれに伴うエネルギー消費量の増大、そして環境保全の三者鼎立《ていりつ》は困難であることを表した言葉だった。「エネルギーのトリレンマ」において鼎立すべき要素として今注目されているのは、エネルギー安全保障の確保（Security）、安価でクリーンなエネルギーへの公平なアクセス（Affordability）、そして、持続可能な地球環境の実現（Sustainability）という3つの課題である。または、エネルギー安全保障（Energy security）、経済成長（Economic growth）、そして環境保護（Environment）とする見方（3E）もできる。

ウクライナ戦争とその中で発生した「ノルド・ストリーム」の供給停止と爆破工作は、欧露双方のエネルギー安全保障に対する考え方を大転換させようとしている。また、石油天然ガス市場の異常高騰は、インフレ圧力と世界経済減速、景気後退（リセッション）への懸念を高める一方、脱炭素を加速させ、再生可能エネルギーや水素等、新たなエネルギー源の価格競争力を高め、エネルギーシフトを誘引していくことになる。そのことはエネルギー供給源の多様化につながり、エネルギー安全保障を確立していく一助にもなる可能性がある。

だが、先にも述べたように再生可能エネルギーや水素にはいまだ課題も多い。我々は脱炭素社会の実現と、人類にとって不可欠なエネルギーについて、環境に即した経済的な安定供給が確保できるのかどうかという課題に対する回答を見つけなくてはならない。さらに人口増加、グローバルサウスが抱える不公平感、エネルギーの南北問題への適切な回答も求められている。

†本書の構成

本書では、今、世界が経験している、しようとしているエネルギー危機について、現在の危機のトリガーとなったロシア・ウクライナ戦争と石油天然ガス市場への影響を中心に、専門知識を有する方だけでなく、エネルギー分野に関心を持たれている一般読者の方々にも、できるだけ平易に、これまであまり触れられてこなかったファクトとともに紹介することを目的とする。その際、ロシアによるウクライナ侵攻前から始まっていた脱炭素への世界潮流がどのようにして生まれ、それがウクライナ侵攻によってどのような影響を受けているのかにもあわせて注目していく。

第1章ではロシア・ウクライナ戦争をエネルギー問題の視点から分析し、第2章および

第3章では欧米が発動した「前例なき」対露制裁とロシア財政の本丸を狙う石油禁輸、その効果の実情、そして、石油天然ガス市場への影響を明らかにする。第4章では中長期の視点からエネルギー危機がどれくらい続くのか、どのような変化がもたらされるのか可能性について分析を試みる。その重要要素としてのロシア・ウクライナ戦争の終結の見込みや今後想定されるさらなる問題にも焦点を当てる。第5章ではエネルギー分野に革命と言えるほどの変化をもたらす可能性がある脱炭素に向けた世界潮流について、その実情と課題を紹介していく。その過程では、「石油の世紀」と言われる20世紀およびそれ以降の人類の繁栄の立役者である石油天然ガス資源が本当に駆逐されるのかどうか、カーボンニュートラル社会を実現するために我々が解決すべき問題も抽出していく。終章では、対外エネルギー依存がきわめて高く、エネルギー安全保障の確保と強化が求められる日本はこのような世界情勢、エネルギー危機においてどのように対応すべきかについて考察する。日本の国益を最大化することを念頭にどのような選択肢が日本にはあり、その先にはどのようなリスクが待ち構えているのか分析を行う。

エネルギー問題や国際関係を扱ったすばらしい書籍は数多くあるが、ロシア・ウクライナ戦争についてエネルギーという切り口からアプローチすることで、まったく異なる視点を読者の方に提供したいという意図とともに本書の執筆を進めた。一般的ではないエネルギー分野の術語・単位に関しては、できるだけ説明を加えたが、一方でエネルギー情勢は統計・数値に基づいて分析されなければ実像は見えてこない。それに伴い、数値統計による説明が冗長になってしまった箇所もあるかもしれない。

また、ロシア・ウクライナ戦争は現在進行形の事象であり、その状況の変化は対露制裁の新たな措置にも大きな影響を及ぼす。本書の刊行に当たっては草稿を仕上げ、印刷に入る直前の段階（2023年7月末）まで、できる限り最新の情報を読者の方々へご提供できるよう努力した。戦況というマクロの事象から、たとえばサハリン2プロジェクトについての定期修繕を巡る問題（第4章にて詳述）といった足元で進む事象まで、刊行までの間で大きく事態が進展することもありうる。本書で想定する内容が確定情報となり、事実との間に若干の乖離《かいり》が生じてしまう可能性があることもご容赦いただきたい。

第 1 章

エネルギー問題としてのロシア・ウクライナ戦争

「ノルド・ストリーム」破壊工作によってバルト海で観測されたガス漏洩による気泡
（出所：デンマーク国防軍）

ロシア・ウクライナ戦争の原因は、北大西洋条約機構（NATO）による東方拡大とそれに対するロシアの反作用を1つの軸として語られることが多い。そのことはロシア自身が侵攻前からウクライナのNATO加盟を「レッドライン」と主張してきたことにも表れている。だが、本章ではそのような一般的な視点から離れ、エネルギー、特にロシアとウクライナにとって外貨を獲得するうえで重要な財源でありインフラであった天然ガスとそのパイプラインを巡る両者の関係を主軸に、戦争に至るまでの状況を振り返り考察してみよう。

結論から先に言えば、NATOによる東方拡大だけではなく、天然ガスを巡る両国の不安定な関係こそが2014年3月のクリミア併合、そして今起こっているウクライナ戦争という最悪の事態を招いた重要な起点の1つとなっていたことが分かるだろう。供給者としてのロシア、通過国としてのウクライナ、そして市場としての欧州という三者の関係は、今世界を覆おうとしているエネルギー危機の中心にあり、さらにウクライナ戦争後を見据えていくうえでも、天然ガス取引を媒体とした三者の関係は再度クローズアップされていくことになる。

†外貨獲得の大動脈を握っていたウクライナ

ロシアによるウクライナ侵攻までは、ロシア産天然ガスは欧州市場の約4割、欧州最大のガス需要国ドイツにおける市場の約6割を占めてきた。こうした欧露のエネルギー協力関係の歴史は、ソ連で大規模な天然ガス田が発見され、ソ連政府が天然ガスをエネルギーの重要な柱に据えるようになった1950年代後半から始まったものであり、2022年に破綻するまで半世紀以上にわたって築かれてきたものだった。

初めて欧州（東欧諸国）へガスが輸出されたのは1967年、ウクライナを起点とし当時のソ連国境（現ウクライナ国境）のウジュゴロド（ウジホロド）からチェコスロバキアへ供給する「兄弟（Brotherhood）」パイプラインの稼働開始に遡る。1968年にはオーストリアまで延長・輸出され、その後、西シベリアにて、ロシアが世界最大の天然ガス埋蔵量を擁するに至る大規模なガス鉱床の発見が相次ぐと、欧州域内での需要増加も相まって、ソ連から欧州へ延びる輸出パイプライン・インフラも増強されてきた。また、ソ連からガスを輸入するというアイデアは、西ドイツの社会民主党（当時）が1969年、戦後初めて政権をとり、ブラント政権の下で進められた、東方（共産圏）との連携を強化するという「東方政策（Ostpolitik）」によって大きく進展していった。西ドイツからは大口径管やコンプレッサーを輸出し、見返りに天然ガスを輸入するというスキームが機能し、西ドイツへのパイプラインも1973年10月に完成している。

1967年輸出開始当初、年間15BCM（十億立方メートル）からスタートしたその欧州への輸出容量は、2021年9月に完成した「ノルド・ストリーム2」までを加えれば、344BCMと半世紀で23倍にまで拡大している。344BCMとは、年間需要ではドイツの約4倍、日本の約3倍に当たる規模である。そして、それらパイプラインが通過・接続される国の中で最大の国はウクライナ（142BCM）であり、その次にドイツ（110BCM）、そしてトルコ（47・5BCM）が続く（図1‐1）。

トランジット（通過）量の大きさは、ロシアにとってのその国の地政学的な重要性を表す。ウクライナ経由が最大であるのは、ウクライナはソ連という同一の国の中で重工業を擁しており、また東欧諸国に天然ガスを配分しやすい位置にあったため、そこを経由することが当時のコメコン（ソ連主導の経済相互援助会議）体制を維持するのに好都合であったからである。1991年のソ連解体によって独立した結果、ウクライナはソ連時代の長大なガスインフラであるパイプラインを引き継ぎ、ロシアが欧州市場というドル箱からのガス販売代金という外貨を稼ぐうえで最も重要な資産の通過国になったのである。

石油天然ガスパイプラインの通過国には、生産国または天然ガスの販売者からその量に

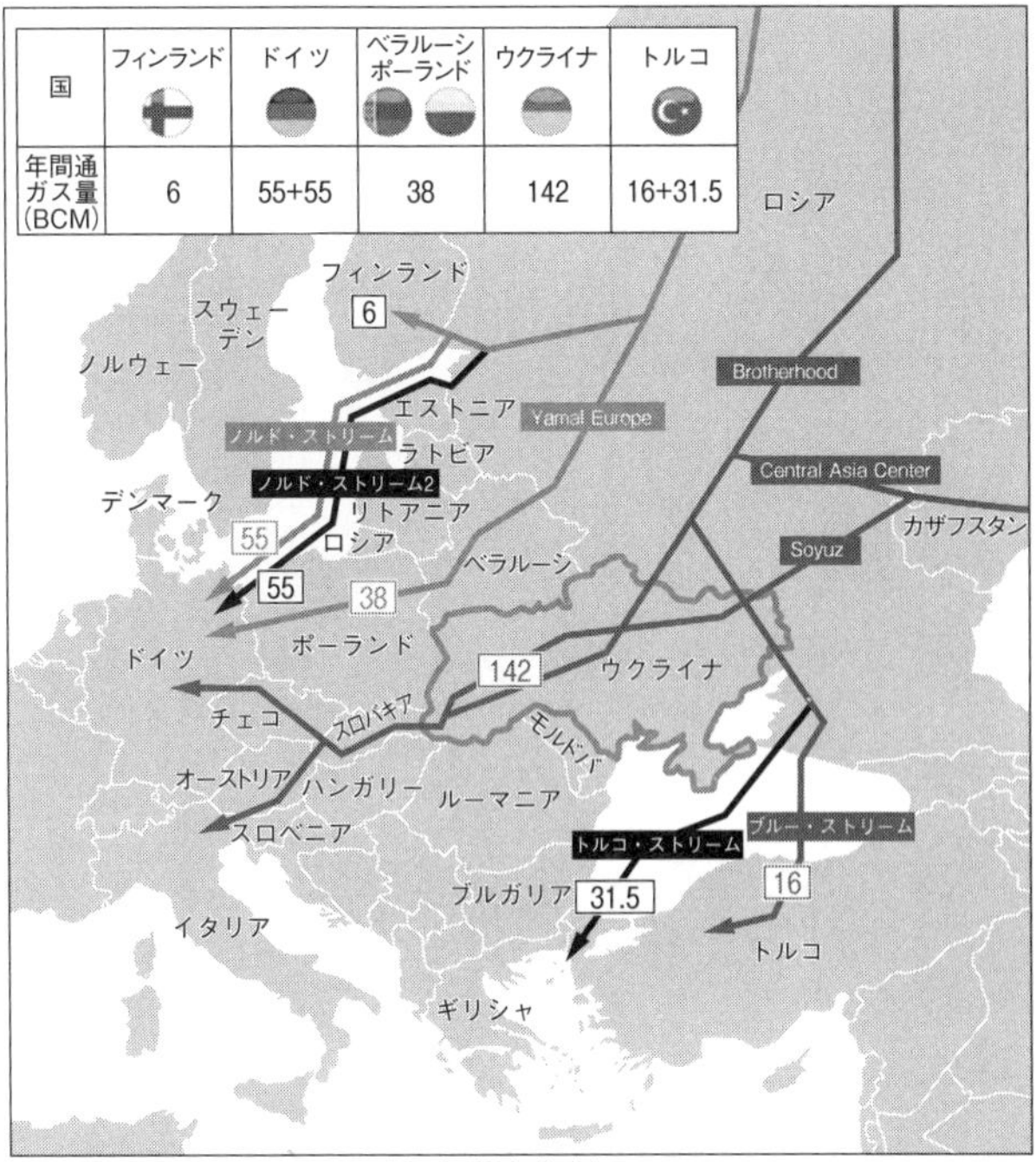

国	フィンランド	ドイツ	ベラルーシ ポーランド	ウクライナ	トルコ
年間通ガス量（BCM）	6	55+55	38	142	16+31.5

※ BCM：十億立方メートル（出所：筆者作成）

図1－1　ロシアから欧州に向けたガス輸出パイプライン（略図）と年間通ガス量（設計容量）

応じて、通過料（トランジット・タリフ）がその国に支払われる。ソ連の遺産は通過料というかたちでウクライナの財政を潤してきた。たとえば、2019年12月に更改されたロシアとウクライナとの間のガス・トランジット契約では、その通過料として2024年までの契約で年間平均45BCM、100キロメートル当たり・通ガス量千立方メートル当たりで2・66ドルという価格条件で両者が合意している。これはロシアからウクライナに対し年間13億ドル（最大設計容量である142BCMで計算すれば同41億ドル）もの通過料が支払われる試算になる。また、ロシアとウクライナとの間では現金での支払いだけでなく、ロシアがウクライナに供給する天然ガス代金見合いとして通過料を相殺することも行われてきた。

なお、ウクライナには天然ガスだけでなくロシア産原油を欧州へ輸送するパイプラインも存在する。ロシア産原油を欧州へ輸送する大動脈「ドルージュバ（友好）」パイプライン（1964年稼働開始、輸送容量は日量120～140万バレル）はベラルーシを通り、同国内で分岐したパイプラインがウクライナ北西部を通過し、スロバキアへ流れている。その量は日量24～25万バレルというレベルで、ロシア・ウクライナ戦争および石油禁輸発動後も欧州連合は同パイプラインフローについては時限的に制裁対象外としており、依然流れ続けている。

†すべての起点であるウクライナガス供給途絶問題

本来であれば、国際パイプラインで結ばれた生産国（石油ガス輸出者）、通過国および需要国（同購入者）は、資源の販売とそれから得られる外貨、そして資源の獲得という相互利益が実現しているため、生産国や通過国による供給の途絶や需要国による契約反故による不買という事態は起きにくい。

しかし、ソ連崩壊後、ロシアとウクライナの間では継続して、天然ガスの供給・料金設定を巡る争いが生じてきた。価格条件交渉だけに留まれば、商業問題として国際仲裁裁判所にて妥結に向けた方策を見つけることもできただろう。しかし、両国の問題には、さらに政治的要素が加わり、状況が不安定化していくことになる。それが、2004年11月から翌年にかけてウクライナで起きた「オレンジ革命」を起点とする、親露政権と親欧米政権の興亡である。

2005年1月に成立した親欧米のユシチェンコ政権に対して、それまで国際価格よりはるかに安価なガスを供給してきたロシアは、世界的な原油価格高騰とリンクするガス価格上昇も背景に、値上げを迫っていった（表1-1）。また、1991年の独立後からそれまで事実上目をつむってきたウクライナによるガス抜き取りや代金未払い問題に対して

表1－1　ガス供給途絶時のロシアからの国別天然ガス価格推移

供給国・地域	2005年	2006年 露宇供給途絶問題	2007年	2008年 ジョージア戦争	2009年 露宇供給途絶問題
EU平均	250	245～285	293	396	292
ウクライナ	50	95	130	180	259
ベラルーシ	47	47	100	128	160
バルト三国	90	147	216	344	344
モルドバ	80	110～160	170	250	315
ブルガリア	183	275	275	330	415
ルーマニア	230	285	315	370	450
ジョージア	63	110	110	235	輸入停止
アルメニア	54	110	110～165	110～165	110～165

※単位は千立方メートル当たりドル（出所：ガスプロム資料等より筆者とりまとめ）

も、前払いがなされない場合にはウクライナ向けガス輸出を停止することを通告し、ついに交渉が難航したことで契約が更新・履行されず、２００６年および２００９年にガス供給途絶問題が発生する。

供給途絶といっても、ロシアは欧州諸国に輸出する分の天然ガスは流し続けていた。ところが未払い状態が続き契約更改が難航していたウクライナ分の供給を削減したところ、ウクライナによる抜き取りが発生する。その結果、欧州向けのガス輸出量が減少し、ロシアも一時的にガス供給を停止したことで、中東欧諸国を中心に影響が出た。契約という観点から見れば、支払いが滞るウクライナへのガスを止めたロシアに非がないのは確かだが、欧州では「エネルギーを武器に弱者をいじめる国・ロシア」というイメージが定着したのも事実である。

２００６年および２００９年にクローズアップされたこの出来事は、相反する２つの流れに発展していく。１

つは欧州で脱ロシア産ガスを目指す動きが活発化し、EU加盟国を結束させ、EUレベルでエネルギー政策を扱う契機ともなり、結果としてロシアに対する実質的なバーゲニング・パワー（交渉力）を強化したことである。もう1つの流れは供給途絶を起こすリスクをはらむウクライナを迂回するルートの構築である。欧州最大のガス需要国ドイツとロシアを直接結ぶパイプライン「ノルド・ストリーム」がロシア国営ガスプロムと欧州企業と合弁で建設を開始したのは、まさに2009年供給途絶発生後の翌年4月のことである。

ロシアとウクライナを巡るガス供給問題は、その後、2010年に成立したヤヌコーヴィッチ親露政権下で一時鎮静化する。就任後、ロシアのメドヴェージェフ大統領（当時）とハリコフ（ハルキウ）で会談を行ったヤヌコーヴィッチ大統領はNATO加盟準備のために2006年に設置した政府組織を解散する大統領令に署名し、NATO加盟方針を撤回する姿勢を明確に示した。2009年の供給途絶問題後に締結されたガス供給契約（2009年1月～2019年12月）についても、ロシアがウクライナに対してガス価格のさらなる値引きを盛り込む内容に改訂された。この契約については満期を迎え更改時期を迎える2019年12月に向けて、「ノルド・ストリーム2」が建設される中、再び注目を集めることになる。ウクライナを迂回する2つの独露パイプライン「ノルド・ストリーム」および「ノルド・ストリーム2」の稼働開始は、ウクライナへのトランジット料の激減という、ウクライナにとって経済的な不利益に加え、対露レバレッジを失うことで地政学的にも弱体化する死活問題に帰結していくものだったからだ。

その後、2013年11月の欧州連合およびウクライナの連合協定（Association Agreement）を巡る一連の動きとヤヌコーヴィッチ大統領による最終的な署名拒否、それに対する首都キエフ（キーウ）・ユーロマイダンでの大規模な抗議運動の発生が、2014年2月のウクライナ政変と同大統領の失脚（マイダン革命）、さらにはロシアによるクリミア併合に連なっていく。

†追い込まれたウクライナ

ソ連時代から西シベリアおよびヴォルガ・ウラル地域から生産される天然ガスに依存してきたウクライナだったが、ロシアとの関係悪化に伴って、2013年から次第に欧州（おもにスロバキア）からの天然ガス輸入を開始し、2016年からは欧州からのフローに完全に依存するようになった（図1－2）。とはいえ重要な点は欧州からの天然ガスも元を正せば、ポーランドやドイツがロシアから輸入している天然ガスだということである。さらにこれまではロシアから直に輸入していたためトランジット料はかからなかったが、ポーランドやドイツから輸入すれば欧州の国際価格にさらに輸送費が上乗せされる。結果、

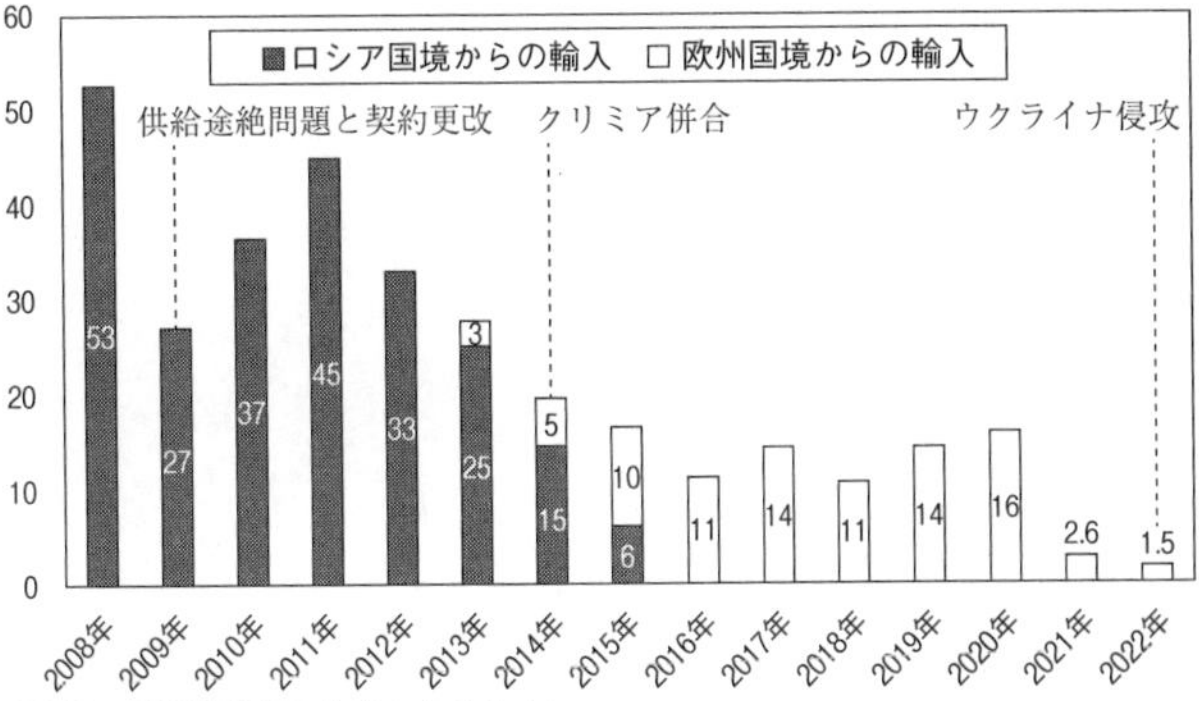

（出所：公開情報より筆者とりまとめ）

図1-2　ウクライナの天然ガス輸入量の推移（ロシアおよび欧州経由、単位：BCM）

ウクライナはそのような欧州からの割高な天然ガスを減少させざるを得なくなっており、輸入量は激減している。

このような不合理なウクライナのガス調達の原因となったのが、２０１４年２月のマイダン革命と３月のロシアによるクリミア併合であった。同年４月、ロシア国営企業ガスプロムはウクライナ側のガス代金未払いへの対応として、ウクライナ向け天然ガス輸出価格を約４割も引き上げることをウクライナの国営ガス企業であるナフトガスへ通告し、その２日後にはさらに千立方メートル当たり１００ドル値上げすることを発表する。欧州委員会の仲介により、一時的に両者は新たな合意に至るが、その後は国際商事仲裁裁判所へ場を移し、今日に至るまで複数の事案についての係争が継続することになる。

天然ガス輸出はその生産国、通過国、そして需要国があって成り立つ。いずれの国も代替されてしまう可能性があるが、通過国はパイプラインという固定資産を異なる生産国や需要国に振り向けることができない硬直さに弱みがあると言えるだろう。ウクライナはソ連時代から引き継いだ巨大パイプライン・インフラを有し、そのことは対露関係では大きな政治的レバレッジとして活用できたはずだった。だが、ウクライナにおける親欧米政権の樹立、欧州連合への加盟に向けた動き、NATOへの加盟志向は、そのパイプラインを満たすガスの生産国であるロシアを失うことにつながり、結果、流すもののないパイプラインという巨額アセットを放棄せざるを得なくなることに帰結する。

ウクライナは今やその道を選択した。というよりも、その道を進まざるを得ない状況に追い込まれたと言えるだろう。そこには、先に述べた2006年と2009年にウクライナとの間で発生したガス供給途絶問題から10年以上にわたってロシアが仕掛けた巧妙な戦略があったのである。

†独露パイプライン稼働の真の目的――ウクライナ包囲網の構築

2009年供給途絶問題から2年後、2011年11月に世界最大の天然ガス埋蔵量を持つロシアと、欧州最大のガス需要国であるドイツを直接結ぶバルト海海底パイプライン

「ノルド・ストリーム」が稼働を開始した。ウクライナを迂回するルートの誕生である。

2014年3月のクリミア併合によって、ロシアとウクライナの関係が冷え切り、対露制裁が発動されている最中にもかかわらず、2015年6月には、ドイツとロシアは新たなパイプライン「ノルド・ストリーム2」の建設に合意する。両国を直結するパイプラインの有効性・実利性は前身の「ノルド・ストリーム」の稼働によって実証されつつあり、ウクライナを経由する天然ガスよりもはるかに安定しているという双方のメリットも一致していたことを表す合意であった。

2009年に締結されたロシアとウクライナとの天然ガス・トランジット契約が満期を迎えた2019年という年は、ロシアにとって「三大国際天然ガスパイプラインプロジェクト稼働年」とも言うべき節目の年となるはずだった。三大プロジェクトとは、ドイツ向けの「ノルド・ストリーム2」、トルコ向けの「トルコ・ストリーム」、そして、中国向けの「シベリアの力」であり、総事業費で1000億ドル超（約14兆円）、これらプロジェクトの総ガス供給容量（124・5BCM）は世界5位のカナダやサウジアラビア、日本の年間需要量をも凌駕《りょうが》する規模だった（図1-3）。現在、この中では2021年9月に完成するも凍結され、さらにパイプラインの半分が何者かによって破壊されてしまった「ノルド・ストリーム2」を除く2つのパイプライン、「シベリアの力」（2019年12月）

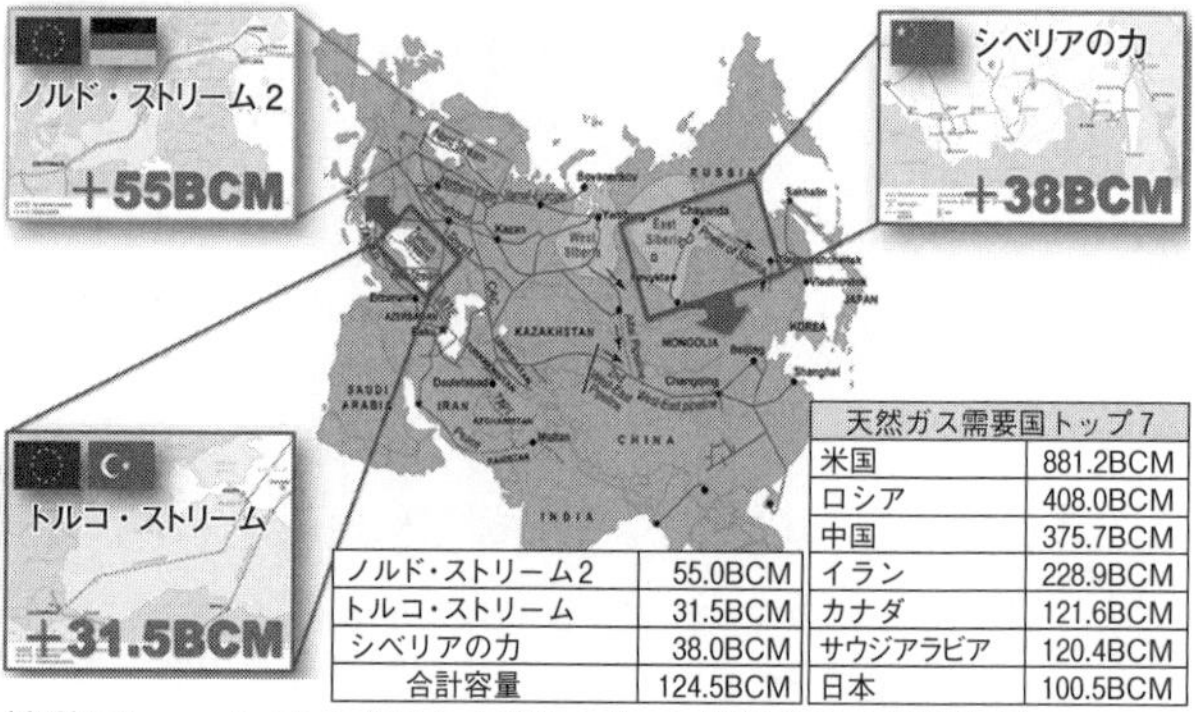

ノルド・ストリーム2	55.0BCM
トルコ・ストリーム	31.5BCM
シベリアの力	38.0BCM
合計容量	124.5BCM

天然ガス需要国トップ７	
米国	881.2BCM
ロシア	408.0BCM
中国	375.7BCM
イラン	228.9BCM
カナダ	121.6BCM
サウジアラビア	120.4BCM
日本	100.5BCM

（出所：Energy Institute 統計およびガスプロム公開情報から筆者作成）

図１－３　2019年稼働を目指して進められたロシアの３大国際天然ガスパイプラインプロジェクト

および「トルコ・ストリーム」（２０２０年１月）が順調に稼働を開始している。

　ロシアにとってウクライナ経由のガス輸送能力は他国を凌駕する大動脈であり、ドル箱の欧州市場を確保していくうえで死活的なルートであった。その年間輸送能力は前述の通り、１４２ＢＣＭに上り、過去最大のロシア産ガスの輸出量を記録した２０１８年ベースでも輸出量（２０１ＢＣＭ）のうち、ウクライナはじつにその43％（87ＢＣＭ）をトランジットしていた。しかし、２００９年のウクライナ天然ガス供給途絶問題からわずか10年あまりの間に、ロシアは最大需要地であるドイツを直接結ぶパイプライン「ノルド・ストリーム」（年間輸送能力55ＢＣＭ）を実現し、さらに「ノルド・ストリーム２」（同55ＢＣＭ）および「トルコ・ストリーム」（同31・5ＢＣＭ）を完成させてきたのである。

これら3つのパイプライン輸送能力の積算（55+55+31.5）は、現在のウクライナのガスパイプライン輸送能力とほぼ同じ141・5ＢＣＭ（≒142ＢＣＭ）になる。つまり、ロシアはウクライナ代替ルートを完全に実現すべく、ドイツ向けおよびトルコ向けのパイプラインを推進してきたことが分かる。そして、これらパイプラインの完成はロシアにとって、輸送問題を抱えるウクライナを迂回するという最大の目的達成に加えて、親欧米に傾くウクライナに対して、ロシア産ガスがなければその重要な資産であるパイプライン・インフラとロシア産ガス・トランジットから収入が得られないことを認識させる「アメとムチ」となることも示していた。

実際、ウクライナのガス・トランジット量は最初の「ノルド・ストリーム」の稼働（2011年）から大きく減少してきた（図1-4）。往時、最大では1998年に輸送能力限界に届く141ＢＣＭを記録したが、今やその7分の1にまで落ち込んでいる。これはウクライナ包囲網が徐々に完成し、ウクライナを財政的にも締め付けていることを示すものだ。

他方で、ロシアもまたこのソ連時代に建設された巨大アセットを完全につぶすことを考えていたわけではなかっただろう。ウクライナという、欧州との間にあってＮＡＴＯによ

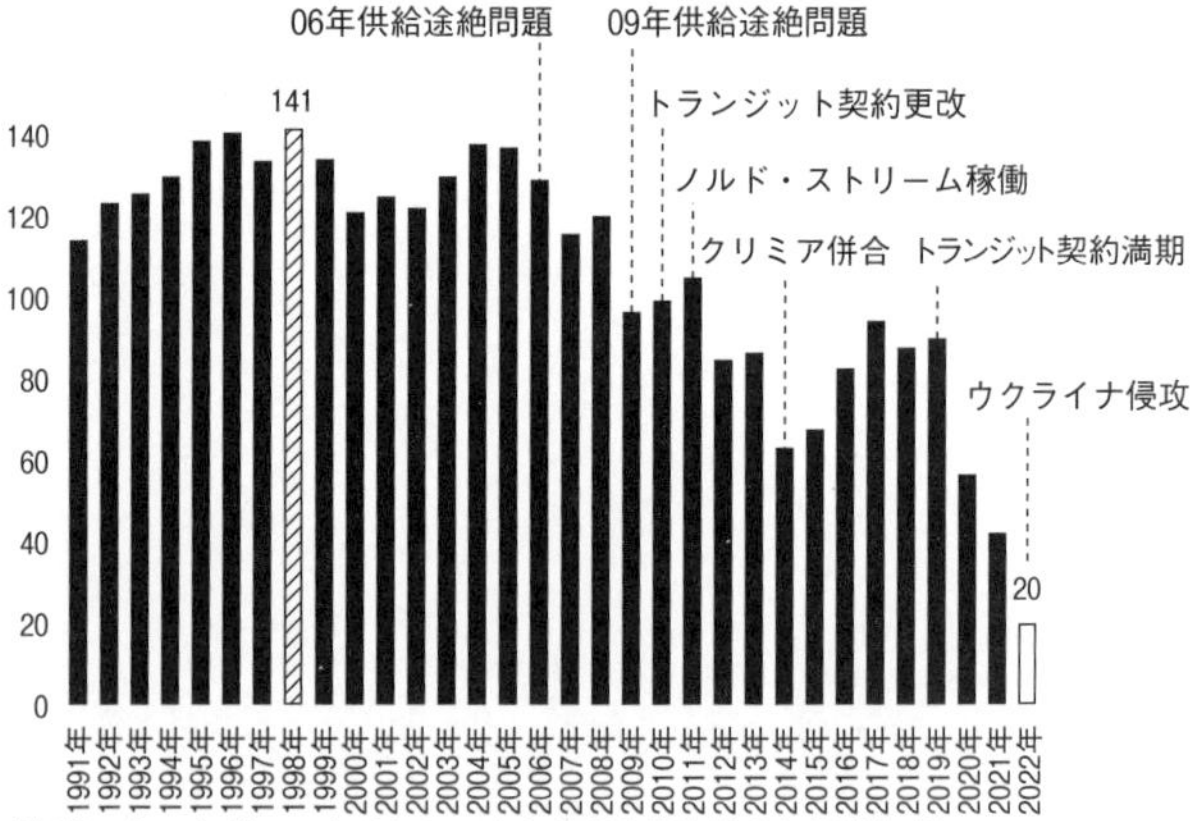

（出所：ナフトガスおよびウクライナ政府公開資料より筆者作成）

図1－4　ウクライナ経由天然ガス・トランジット量の推移（単位：BCM）

る東方拡大に対抗する緩衝地帯として同国を維持し、親露派国として取り込むため、ウクライナにとっても重要な天然ガスの提供およびトランジット料という収入をちらつかせつつ、言うことを聞かない場合にはウクライナを締め付け、交渉ポジションを高めようとしてきたのだった。

しかし、そのようなロシアの思惑と達成目標は、自らが選んだウクライナ侵攻によって大きく変容し、ロシア自身の利益を毀損する方向に動き出すことになる。

†クリミア併合のもう1つの目的

２０１４年２月にウクライナで政変が起き、ヤヌコーヴィッチ政権が失脚すると、３月にはクリミア自治共和国議会とセヴァストーポリ（セワストーポリ）市議会が独立宣言と住民投票を行い、ロシアによるクリミア併合に至る。

だがそもそもなぜロシアは同地域の併合に動いたのだろうか。そのおもな理由の１つとしてしばしば挙げられるのが、クリミアはロシア黒海艦隊の主力基地であるセヴァストーポリを擁し、不凍港であるとともに地中海へつながる軍事要衝であるという点である。キエフ（キーウ）に親欧米政権ができ、ウクライナがＮＡＴＯに加盟するような事態に至れば、ロシアは黒海艦隊の母港だけでなく黒海から地中海、南欧に対する安全保障の砦《とりで》を失うことにつながるというものだ。しかし、本項では巷間での指摘は少ない、エネルギー、特に石油天然ガスポテンシャルという見方から、ロシアがクリミア併合を断行したもう１つの目的と理由を導いてみよう。

黒海という言葉の語源には諸説あるが、一説には黒味を帯びた色調の海水に由来すると言われている。黒海は外海との導通がほとんどなく、ドナウ川、ドニエプル川等の河川によって多量の堆積物が運ばれてくる。そのため水深２００メートル以深の深層部では酸素のない嫌気性環境によって海水中に硫化水素が生成され、鉄イオンと結合して黒色の硫化鉄が生じ、この硫化鉄が他の海に比べて黒海を暗く見えさせるという。また、嫌気性環境であるということは有機物が酸化されず、石油天然ガス等炭化水素の将来的ソースとなる地層（根源岩）を形成する条件の揃った海として、世界でも珍しい環境にあると言える。

黒海における石油天然ガス開発は、1970年代から大陸棚が発達する北西側のルーマニア沖、北部のウクライナ領オデッサ湾およびクリミア半島とロシアに囲まれたアゾフ海で展開されてきた。クリミア半島南部から他海域では大陸棚の発達はあまり見られず、離岸距離とともに水深は1000メートルと急激に深くなる（図1-5）。今世紀に入ってからは、大水深開発技術の進歩によって、石油天然ガスが手付かずで残されている水深1000メートル以深の大陸斜面部分と海盆部（中央部で最大水深2206メートル）、特に複数の油ガス田がすでに発見されていたクリミア半島南部の大水深ポテンシャルに注目が集まっていた（図1-6）。

2005年にはオーストリア企業であるOMVがウクライナ国営石油ガス会社ナフトガス（その100％子会社のチョルノモルネフチェガス［黒海石油ガス会社］）と、クリミア半島南西部の「スキフスカ」鉱区で探鉱事業を行うことで合意に至る。また、2006年にはクリミア半島沖の大水深域が国際入札に付され、米国独立系の石油会社であるVancoが有望鉱区とされる「プリケルチェンスカ」鉱区をヤヌコーヴィッチ首相（当時）の下で取得した。しかし、その後首相となったティモシェンコ首相が2008年に鉱区付与に異議を唱え、国際係争事案となった結果、開発は凍結されてしまい現在に至る。

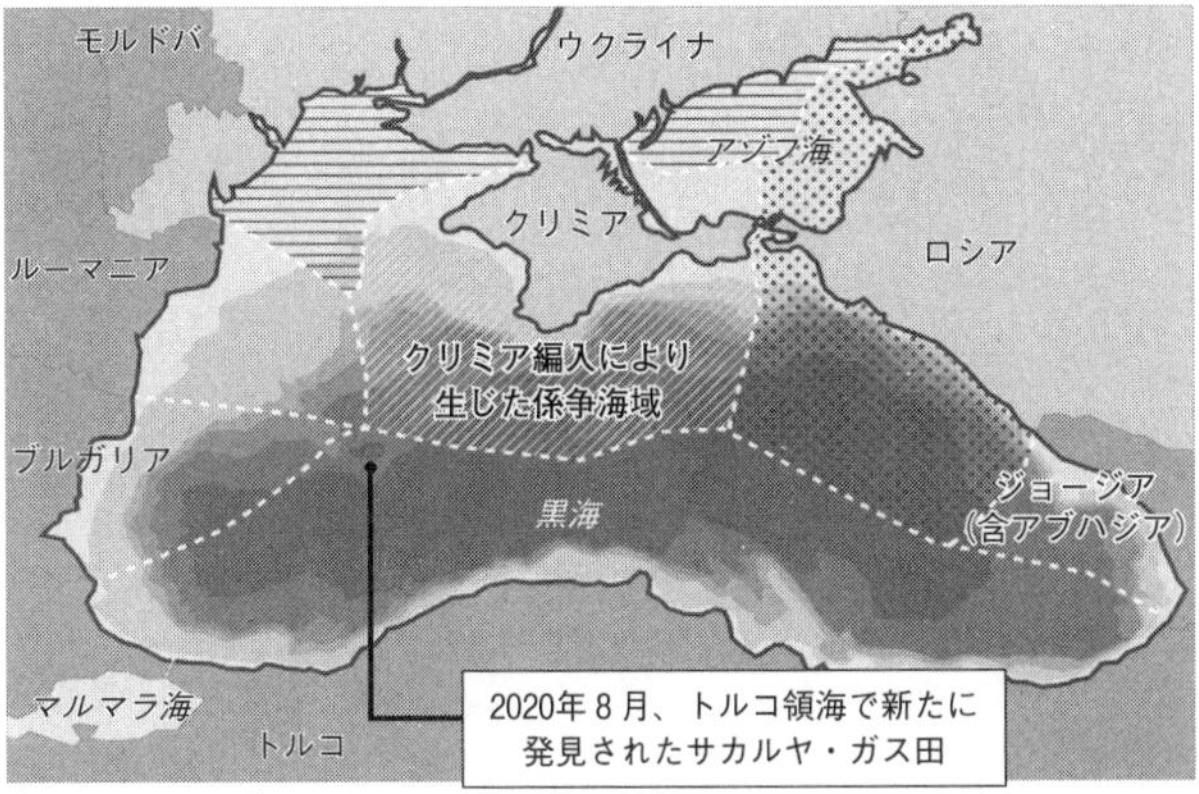

(出所：JOGMEC)

図1－5　黒海各国の領海および海底地形

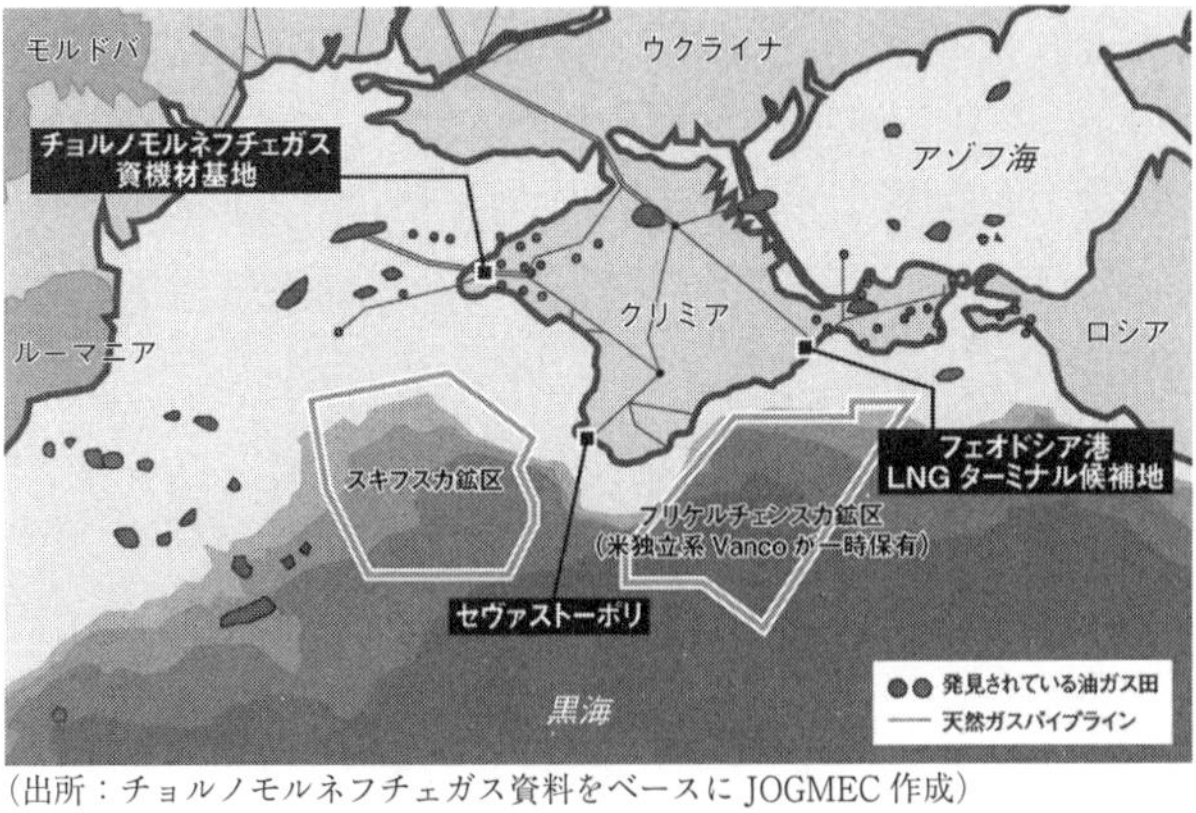

(出所：チョルノモルネフチェガス資料をベースに JOGMEC 作成)

図1－6　クリミア半島周辺の油ガス田と供給パイプライン

２０１０年の夏、筆者は黒海におけるウクライナ領海の鉱区公開情報を収集すべく、キエフ（キーウ）およびクリミア半島のシンフェローポリ（シムフェローポリ）を訪問し、国営石油ガス会社であるナフトガスとその子会社で黒海における上流開発を専業とするチョルノモルネフチェガス、国際係争中の米国独立系石油会社 Vanco と面談を持ち、情報収集を行った。そこではウクライナ政府が近い将来、黒海大水深域およびアゾフ海を対象とした国際入札を行うべく準備を進めており、公開鉱区は33に上るという新たな情報がもたらされた。しかし、国際入札は実現しないまま、その後、２０１４年3月のクリミア併合によって、前述の「スキフスカ」および「プリケルチェンスカ」といった有望鉱区を含む同海域すべてがロシア領に編入されてしまったのである。石油天然ガスポテンシャルが高いと見られていた同海域やアゾフ海の一部は係争海域となった結果、外国企業の参画は現実的ではなくなり、ロシア国営企業であるガスプロム、ロスネフチが鉱区を接収してしまった。

†証明されつつある黒海のポテンシャル

２０２０年8月、黒海の炭化水素ポテンシャルを証明する新たなニュースがもたらされた。トルコのエルドアン大統領が21日にテレビ演説を行い、ウクライナとの領海に近い黒海大水深で大規模なガス田（320BCM、この埋蔵量にどの程度の確度があるのかを示すカテゴリーは明らかにされていない）を発見し、サカルヤ・ガス田と命名したと発表したのである（図1－5参照）。トルコ建国記念から100年に当たり、また、エルドアン大統領任期（2期目）の最終年、大統領選を迎える2023年に生産開始を目指していることも明らかにされた（なお、エルドアン大統領は2023年5月、決選投票の末、3度目の当選を果たした）。320BCMという数値は試掘井1坑で試算された埋蔵量であり、不確実な値ではあるが、2012年にルーマニアのネプチューン・ディープ鉱区でエクソンモービルが発見したドミノ・ガス田（68BCM）をはるかに凌ぐ規模で、黒海では最大の発見となる。

もしポテンシャルが注目されてきたウクライナ領海の探鉱開発が内政問題によって遅延しなければ、ウクライナが産油ガス国として台頭する可能性も出てきたかもしれない。そうなるとロシアはウクライナが保有するパイプライン・インフラでの欧州市場への輸出を制限されるとともに、欧州市場も奪われていくことになる。さらにガス供給途絶問題で述べたように、ウクライナを親露側に付けるために天然ガスとそのトランジット収入を「アメとムチ」のように使うこともできなくなる。

ロシアによるクリミア併合の中心的な目的が軍事要衝を確保することにあったのは確か

だが、ウクライナが将来産油ガス国となり、対露交渉ポジションを高め、欧州市場へ新たな供給者として出現してくるような芽を摘む意味もあったということも考えられるのではないか。石油ガス上流開発におけるポテンシャルからはそのようなクリミア併合のもう1つの目的も見えてくるのである。

†攻撃にさらされてきた「ノルド・ストリーム2」

欧州企業からの融資も受け、関係国の建設認可を取得し、2018年5月から建設が開始された「ノルド・ストリーム2」だが、当初はウクライナの交渉ポジションを貶めるべく、2019年12月のトランジット契約更新に当てつけて完成を目指していた。しかし、2019年に入ると、第三者からの攻撃が激化するようになる。

まず4月には欧州議会がガス指令修正案を通過させ、5月には加盟国での法制化段階へ移った。内容は生産者と輸送者を分離すること（アンバンドリング）、パイプラインへの第三者アクセスおよび輸送料（トランジット・タリフ）の透明性確保を謳《うた》った「第三次エネルギー（規則・指令）パッケージ」を全パイプラインに適用することで、ガスプロムが100％出資し、生産者と輸送者双方が同社である「ノルド・ストリーム2」を排除する方向性を盛り込むものだった。これに対してドイツ政府は時限的措置を設け、2020年5

月より前に完成したパイプラインについてはガス指令の対象としないことで同パイプラインを守る策に出た。

9月には、ポーランド国営石油ガス会社（PGNiG）の提訴を受けた欧州裁判所が、ドイツ国内のガスパイプラインであるOPALパイプラインへのガスプロムによる100％アクセスを認めた欧州議会の2016年10月の決定が、欧州連合加盟国のエネルギー連帯の原則に違反しているとして撤回すべきとの判断を示した。この判決を受けて、OPALパイプラインはガスプロムからの送ガス量を制限せざるを得なくなった。

米国でも「ノルド・ストリーム2」を敵視する動きが活発化し、ロシアとウクライナによるトランジット契約更改交渉の真っ最中の2019年12月に対露制裁発動に至る（図1－7）。それは、「ノルド・ストリーム2」および「トルコ・ストリーム」のパイプ敷設に従事する船舶を対象とするもので、結果、「ノルド・ストリーム2」にパイプ敷設船を提供していたスイスのAllseas社は撤退に追い込まれ、93％の完成という状態で建設がストップすることとなった（なお、「トルコ・ストリーム」は制裁発動時にはすでに海洋パイプ敷設を完了していた）。

2015年に独露が建設に合意し、欧州連合を含む関係国の承認を取り付けながら建設を開始していたにもかかわらず、急に欧米諸国が足並みをそろえたように「ノルド・スト

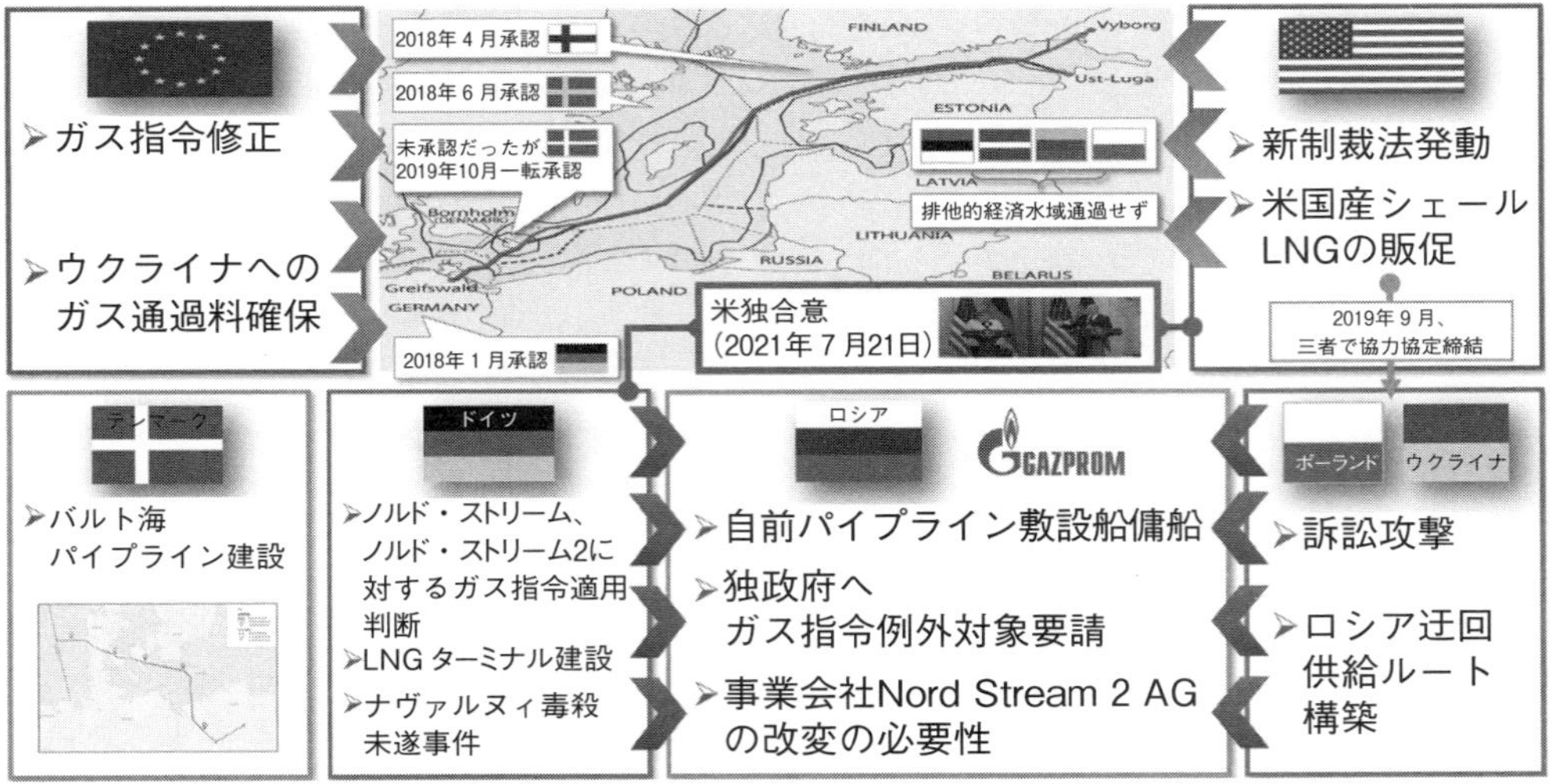
ガス指令修正
ウクライナへのガス通過料確保
2018年4月承認
2018年6月承認
未承認だったが2019年10月一転承認
2018年1月承認
FINLAND
Vyborg
Ust-Luga
ESTONIA
LATVIA
LITHUANIA
RUSSIA
BELARUS
POLAND
GERMANY
Greifswald
Bornholm
排他的経済水域通過せず
米独合意（2021年7月21日）
新制裁法発動
米国産シェールLNGの販促
2019年9月、三者で協力協定締結
デンマーク
バルト海パイプライン建設
ドイツ
ノルド・ストリーム、ノルド・ストリーム2に対するガス指令適用判断
LNGターミナル建設
ナヴァルヌィ毒殺未遂事件
ロシア
GAZPROM
自前パイプライン敷設船傭船
独政府へガス指令例外対象要請
事業会社Nord Stream 2 AGの改変の必要性
ポーランド
ウクライナ
訴訟攻撃
ロシア迂回供給ルート構築

（出所：筆者とりまとめ）

図1-7　建設中の「ノルド・ストリーム2」に対する欧米の攻撃

リーム2」建設を止めるまたは遅延させようと乗り出してきた背景には、まずウクライナへの配慮がある。パイプラインの稼働を遅らせられれば、ロシアはその間ウクライナ経由でガス供給を行う必要に迫られ、それがウクライナへトランジット・タリフ収入をもたらす。とりわけ東欧諸国には、ロシアと直接対峙する前線であり緩衝地帯ともなるウクライナを欧州寄りに維持しておきたいという思惑もあった。米国の思惑はさらに実利的であり、欧州のエネルギー安全保障を守るという建前の裏には、シェール革命で急増する米国産LNG（液化天然ガス）をドイツをはじめとする欧州諸国に売りつけたいという本音がひそんでいた。

「ノルド・ストリーム2」は第2章で述べるように、ロシア政府およびガスプロムの驚異的な努力と対抗措置の成功によって、2021年9月に完成に至る。米国は自らの制裁ではその流れを止めることができないと見るや、2021年6月に開催された対面では初めてとなる米露首脳会談に先立って、「ノルド・ストリーム2」阻止から容認へと180度方向を転換した。それはロシアにとっては特に米国制裁に対する象徴的な勝利とも言えるものだった。しかし、その1年後、何者かの破壊工作によって「ノルド・ストリーム」は稼働停止に陥り、「ノルド・ストリーム2」は敷設された2つのラインのうち、1つだけが破壊を免れたものの、稼働に向けた見通しはまったく立たない状況に追い込まれている。

†米国の不都合な真実

ロシア・ウクライナ戦争の前、米国による「ノルド・ストリーム2」への執拗な攻撃の背後では、ある不都合な真実が隠れていた。対露制裁を課す一方で、米国によるロシア産原油・石油製品輸入は史上最高を記録し、原油ではサウジアラビアを抜いて第3位に、石油製品ではカナダを抜いて首位に立っていたのである。

その原因は2019年に強化されたベネズエラのマドゥーロ政権に対する米国制裁の発動にあった。ベネズエラ産原油へのアクセスが奪われ、さらにOPEC諸国も生産量を削減した結果、米国の精製業者がロシア産重質石油製品（マズート）に目を向けたため、輸入が急激に伸びたのだった（図1-8）。

実際、制裁によりベネズエラ産原油が米国市場から締め出された結果、ベネズエラ産石油製品が減少し、ロシアがその地位を奪うかのように対照的に増え、2021年5月には石油製品ではカナダを抜き第1位に、原油・石油製品合算でもカナダ（日量405・7万バレル）に次いでロシアが第2位（日量84・4万バレル）に浮上した。米国メキシコ湾岸には、ベネズエラ産原油特有の高硫黄・重質原油を処理する能力を有する製油所が多く、従来から相対的に安価な重質原油を仕入れ、ディーゼル油を精製・製造・販売することによ

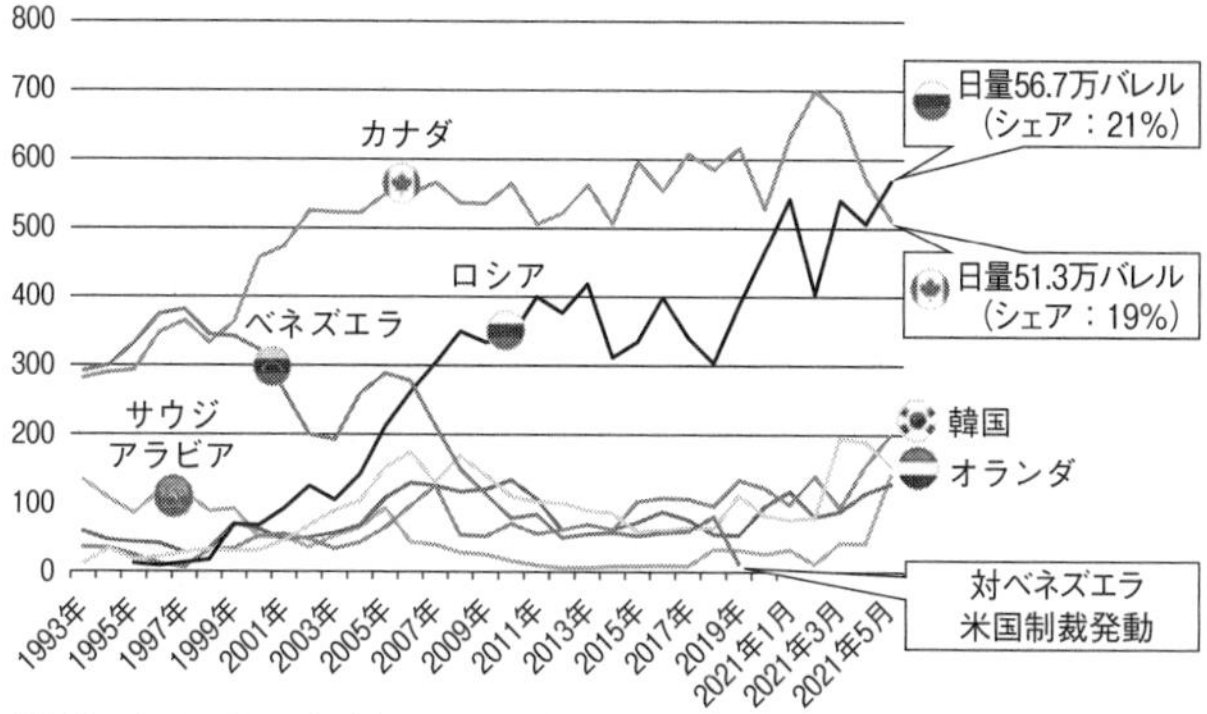

（出所：米国エネルギー情報局（EIA）より筆者とりまとめ）

図1－8　米国向け石油製品輸入の国別推移（単位：日量千バレル）

って精製マージンを最大化していた。しかし制裁発動によってベネズエラ産重質原油の輸入が禁じられ、その代替として、類似性状を持つロシア産重質石油製品に注目が集まり、輸入量が堅調に増加してきたのだった。

　米国政府はロシア産天然ガスの欧州依存度低減（それは米国からの欧州へのエネルギー供給増大を意味する）こそが欧州のエネルギー安全保障を高めると主張してきたが、実はその背後で当の米国がロシア産原油および石油製品の輸入シェアを伸ばし、依存を高めていたわけである。もっとも、米国がこれまで非難してきたのは欧露間の天然ガス貿易であって、原油・石油製品ではなかった。そのため、「ノルド・ストリーム2」建設を反対・阻止しようとする一方で、ロシア産原油および石油製品調達を進める米国の姿勢を二枚舌と批判されたとしても、ウクライナ侵攻前の時点では欧州に対して原油・石油製品をロシアから買うなと言ったことはないと抗弁することもできたであろう。

しかし、ウクライナ侵攻を受けて、米国は3月8日時点で対露制裁としてエネルギー禁輸（原油、石油、石油燃料、油ならびにそれらの蒸留製品、LNG、石炭および石炭製品を対象）をいち早く打ち出した。この措置を受けて、2021年に過去最高を記録したロシア産石油製品輸入量（日量平均47・4万バレル）は2022年には12・7万バレル（4月まで輸入実績あり）、2022年5月以降は現在に至るまでゼロとなっている。

†ロシアが演出する原油・ガス価格の高騰

原油市場は、脱炭素に対する世界的な潮流が石油ガス開発への投資回避を生み出し、需給が逼迫《ひっぱく》する可能性から上昇基調にあったが、2021年11月以降のロシア軍のウクライナ国境集結を受けて、地政学リスクがさらに価格を押し上げ始めた。侵攻直前の2022年2月16日には米系メディアによる侵攻の予測報道を受け、ゼレンスキー大統領がその日を「団結の日」とすると発表したことで、ロシアによる侵攻が現実味を増したと市場が受け止め、2014年9月以来、7年5か月ぶりにバレル当たり95ドルを超える水準に達している。そして、侵攻後にはその対応として、一部欧米諸国が対露制裁の一環でエネルギー禁輸を打ち出したことに市場は敏感に反応し、3月8日には128ドルを記録、さらにEUが石油禁輸措置発動を発表した6月3日以降再び上昇し、123ドルという10年ぶりの高値水準に到達したのである（図1－9）。

ウクライナ侵攻までの約2年弱は、OPECプラスによる大規模減産により油価は70ドルから80ドル台で推移してきた。しかし、それは2011年から2014年にかけて続いた100ドルから120ドル台という高油価時代の再現には至らなかった。そのようなときに、ウクライナ戦争の勃発と欧米によるエネルギー禁輸を含む制裁により原油価格の上昇がもたらされた。その意味ではOPECを中心とする産油国はロシアによるウクライナ侵攻という火事場の対岸にいながら、価格上昇による恩恵を受けることになったと見ることもできる。

天然ガス価格も2021年後半から、再生可能エネルギーの電力供給不調、天然ガス生産トラブルによる供給縮小、新型コロナウィルスからの急速な需要回復、石炭価格高騰によるエネルギー代替と炭素価格（企業等が排出する二酸化炭素に対する価格。排出量の売買・需給によって決定される）の高騰による環境負荷の低い天然ガスへの注目が複合的に価格を押し上げており、2021年には2度も史上最高値を更新している。そして、原油市場同様に2021年暮れから始まったウクライナ情勢の緊迫化が価格高止まりをさらに助長

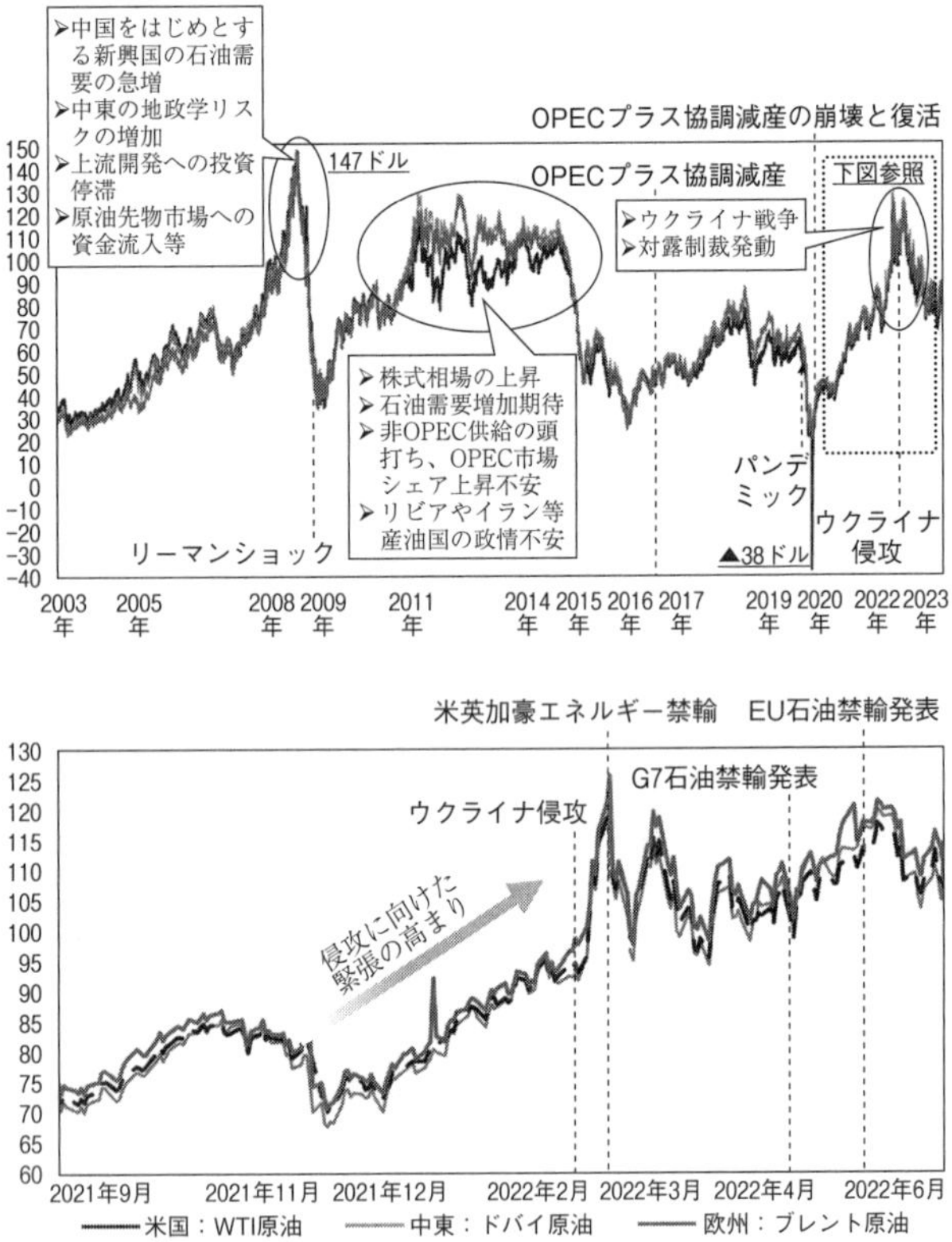

（出所：JOGMEC とりまとめ）

図1－9　ウクライナ侵攻前後の世界の国際指標原油価格の推移（単位：バレル当たりドル）

してきた。そのベースにはロシア要因の他に、欧州における再生可能エネルギーの出力不足やアジア諸国の積極的なＬＮＧ購入、その結果としての欧州へのＬＮＧ流入減少に伴う天然ガス在庫の低迷、天然ガス需給の引き締まり、石炭価格の高騰といったさまざまな要因があった。

北東アジアの天然ガススポット指標価格であるＪＫＭ（Japan Korea Marker）は２０２１年初めに30ドル（百万英国熱量単位当たり。以下、同じ）を超え史上最高値を更新した後、同年９月にはその２倍に近い56・３ドルを付けた。欧州でも同月に34・４ドル、そして年末にはＪＫＭを超え、60・７ドルとなり史上最高値を更新した。欧州で価格が急騰した背景には、２０２１年９月に完成し稼働が待たれていた「ノルド・ストリーム２」について、その承認手続きの見通しが立たないことが判明したこともあった。そして、そこに発生したロシアのウクライナ侵攻と欧米によるエネルギー禁輸措置発動によって、２０２２年３月には一時ＪＫＭは84・８ドル、欧州ガス価格は72・３ドルという高価格を付けた。

その後、記録をさらに更新する事象がロシア主導で行われた。６月中旬から８月下旬にかけて発生した「ノルド・ストリーム」の輸送量縮小である。８月25日には完全に停止したことを受けて、欧州のスポット価格の指標であるＴＴＦ（Title Transfer Facility）は史上最高の99・５ドルを記録している（図１－10）。これは原油換算で見れば、バレル当た

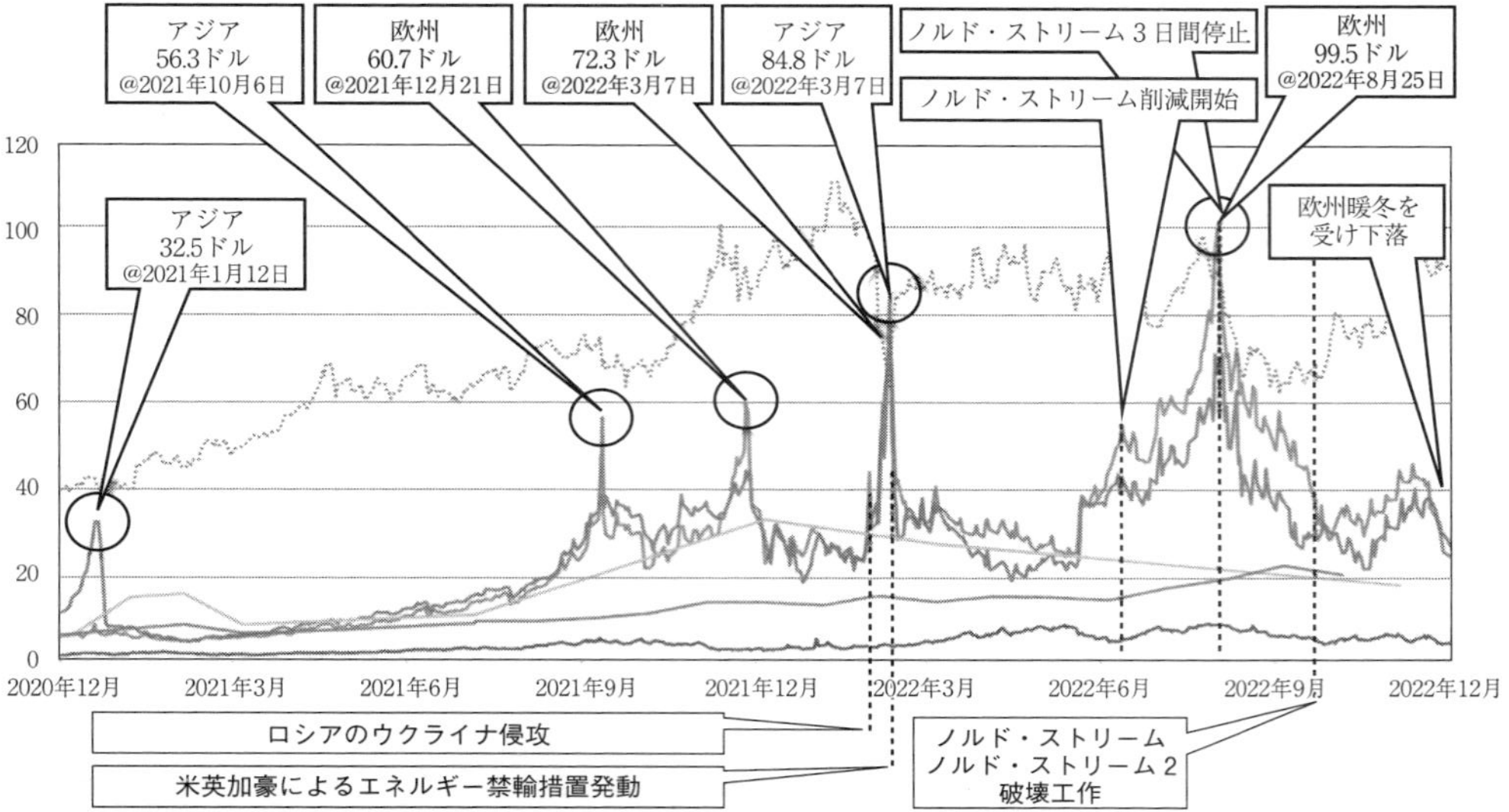

(出所：JOGMECとりまとめ)

図1-10　ウクライナ侵攻前後の世界の天然ガス価格の推移（単位：英国熱量単位当たりドル）

り600ドルに迫る規模となる。このような乱高下と記録的な高価格で感覚が麻痺《まひ》しつつあるが、2020年5月にはコロナ禍の需要減少を受け、欧州ガス価格最安値である1・2ドルを付けていたことを考えると、このような価格帯の異常さが分かるだろう。

その後、ガス価格は落ち着きを取り戻すが、9月26日に発生した「ノルド・ストリーム」および「ノルド・ストリーム2」爆破工作事件によって、市場は不安定な状況のまま、欧州は2022年の冬を迎えた。暖冬と欧州諸国による節ガス努力によりガス需給のバランスが保たれた結果、価格は2023年上半期の時点では落ち着きを取り戻しているが、2022年の冬と2023年以降の冬では「ノルド・ストリーム」というガス供給のベースロード的存在があるかないかという大きな違いが生じている。このことは今後数年にわたって欧州ガス市場の大きな不安定要因となり、価格の乱高下をもたらすことになるだろう。

†価格高騰の恩恵を受けられないロシア

2022年の原油天然ガス市場の高騰はロシア主導で行われた、ある意味「自作自演」の市場操作とも言える。ウクライナ侵攻がなければ石油禁輸制裁の発動はなく、原油価格は年央に向けて上昇しなかっただろう。ロシアが欧米制裁への対抗として、「ノルド・ストリーム」の供給減少と停止を行わなければ、ガス価格の異常な急騰も生じえなかったからである。

もしロシア政府がそれによって価格高騰の恩恵、つまりロシア財政への歳入増を目指していたとすると、その期待は2つの予期せぬ事態によって裏切られることとなった。

第一に、ロシア産石油は侵攻直後からその制裁リスクの高まりによって国際価格水準では販売できなくなってしまった。ロシアの石油会社が国際市場で販売しようとしても、国際価格からバレル当たり平均26ドル、最大では41ドルもの値引きをしなくては売れない状況が生まれている（図1-11）。このようなディスカウントは2014年3月のロシアによるクリミア併合と7月のマレーシア航空機撃墜事件を受けた石油産業への制裁拡大を受けて一時的に生じたことがあり、米国が制裁を課すイラン産原油取引でも観測されている。だが、ロシアによるウクライナ侵攻とそれに対する欧米制裁の発動によって生じたディスカウント幅は相対的に大きくかつ持続している点が特徴として挙げられる。

2022年央までは原油価格は120ドル台に上昇し、ディスカウントしてもロシアには80ドルから90ドル台をベースとする原油収入が得られたが、その後原油価格は中国の需要見通しの不透明さから年末にかけて低下していった。加えて、12月5日から発動された石油禁輸および石油価格上限設定（バレル当たり60ドル、第2章で詳述）によって、ロシア

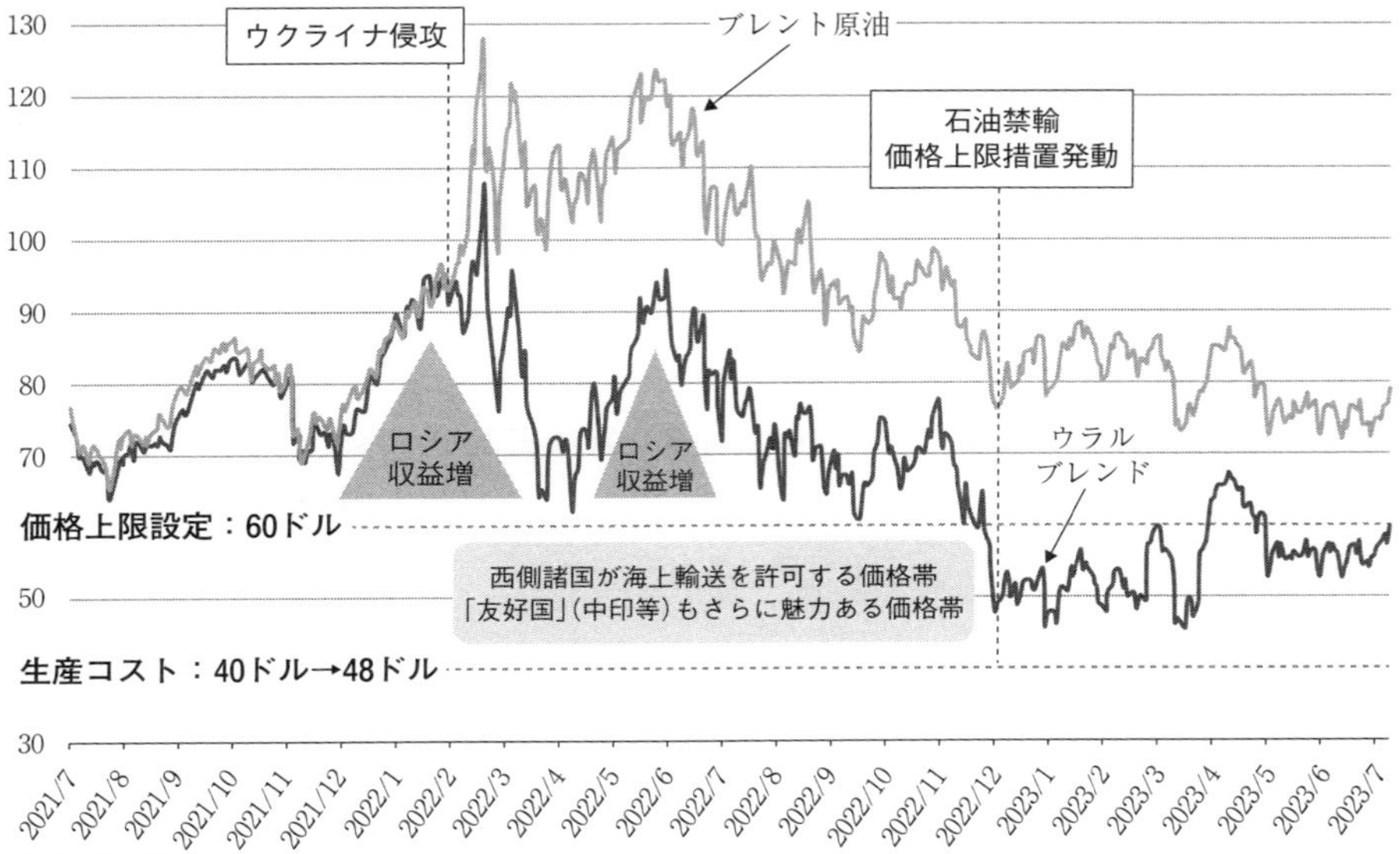

（出所：筆者作成）

図１-11　国際原油価格（ブレント）とロシア産原油（ウラルブレンド）の価格推移（単位：バレル当たりドル）

に対するリスクプレミアムがさらに高まり、ディスカウント幅が拡大した結果、ロシア産原油価格は国際価格から値引きされた40ドルから50ドルという低価格で販売せざるを得なくなったのである。なお、ロシアでは原油を生産するために必要なコストの平均が40ドルから48ドル程度と言われている。つまり40ドルから50ドルという価格での販売は、ロシア石油会社が原価割れするくらいにまでディスカウントせざるを得ない状況に追い込まれることを意味するのである。

第二に、ロシア産天然ガスの欧州市場シェアの逸失である。G7、欧米諸国は石炭や石油、金の禁輸には踏み込んだが、2023年春の時点でロシア産天然ガスの禁輸については踏み込めていない。その理由は、今足元ではロシアしか天然ガスを追加で供給できる能力を有さず、ロシアを市場から締め出すと供給途絶が起こり、市場を混乱させることが確実だからである。そのことは天然ガス分野でのロシアの世界への影響力の大きさを示すものであり、ロシアはその力を行使して、2022年6月から「ノルド・ストリーム」を停止するという手段に出た。

2か月余りかけて、ドイツ向けの天然ガスが停止された結果、天然ガス価格はバレル当たり600ドルに迫る異常な上昇を示したことは先に述べた通りである。ロシアはこの高騰の恩恵を「ノルド・ストリーム」が停止するまでのガス販売によってある程度は享受できただろうが、その1か月後、「ノルド・ストリーム」および「ノルド・ストリーム2」は何者かによって破壊され、数年は要すると見られている修復はもとより、ガス輸出再開の見通しもまったく立っていない。この結果、ロシア産ガスの欧州向け輸出量は現在、往時の5分の1まで低下している（図1-12)。「ノルド・ストリーム」が健全であれば、一度は停止した同パイプラインを供給契約に従って再稼働できる可能性はあったが、パイプラインなき今、ドル箱であった欧州市場の大規模な縮小は今後も長期にわたって継続していくことが確実である。

†「ノルド・ストリーム」破壊工作の衝撃

2022年9月26日に発生した、「ノルド・ストリーム」および「ノルド・ストリーム2」に対する破壊工作は、ロシア・ウクライナ戦争が軍事面だけではなく、エネルギー分野でも実力行使というかたちで表面化した象徴的かつ決定的な出来事となった（図1-13)。誰がこの企みの背後にいるのか、どのような思惑があっての犯行なのか。現時点でも爆破が起きた排他的経済水域を管轄するデンマーク政府およびスウェーデン政府の調査からは犯人の特定には至っていない。

犯人が誰であろうと、この事件は不可逆的な3つの影響を関係国に及ぼしている。まず、

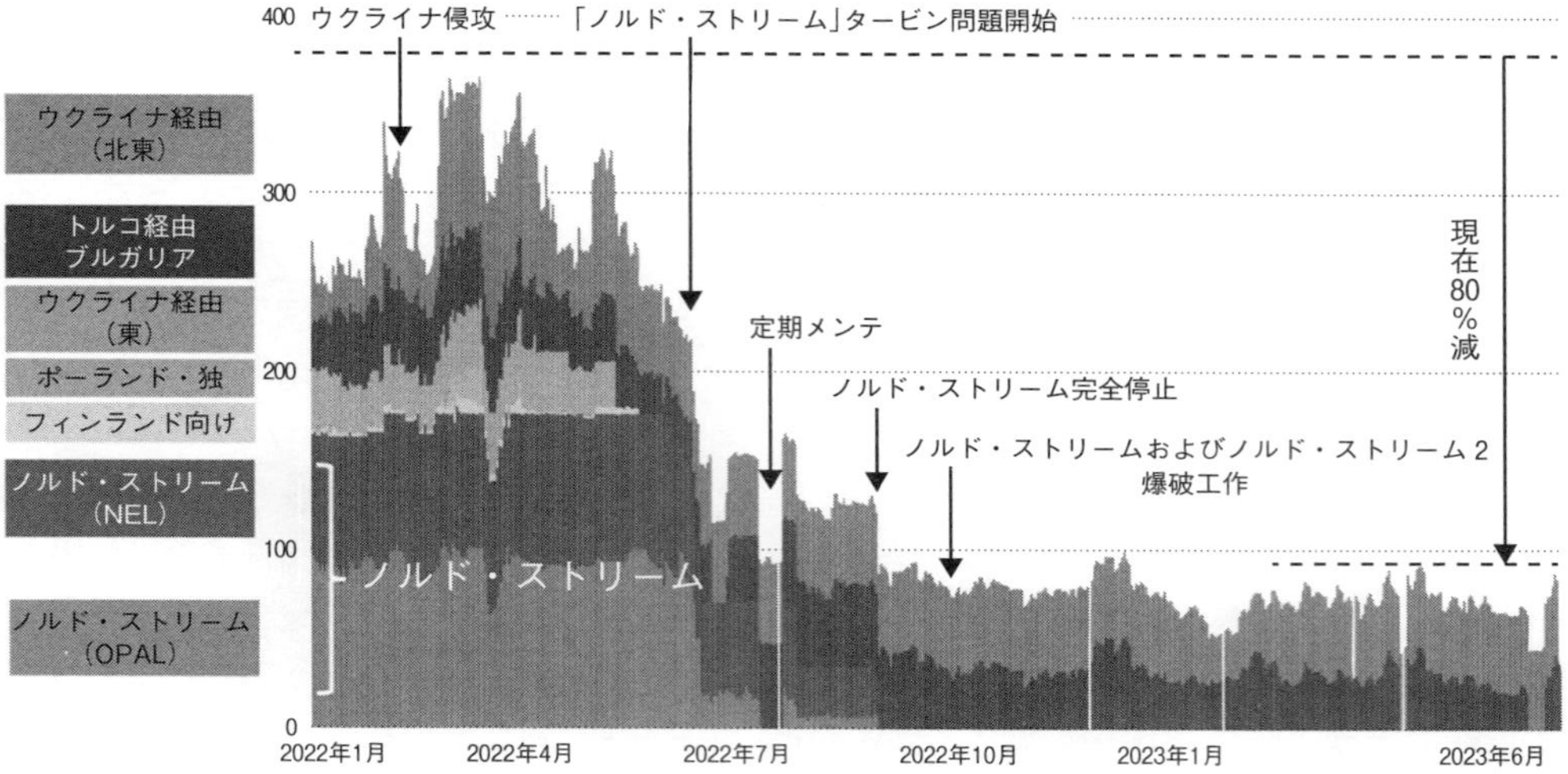

※トルコ向けのブルー・ストリーム（16BCM）は含まず（出所：Rystad Energy 資料に筆者加筆）

図1-12　ロシア産天然ガスの欧州向けパイプライン輸出量の推移（単位：日量百万立方フィート）

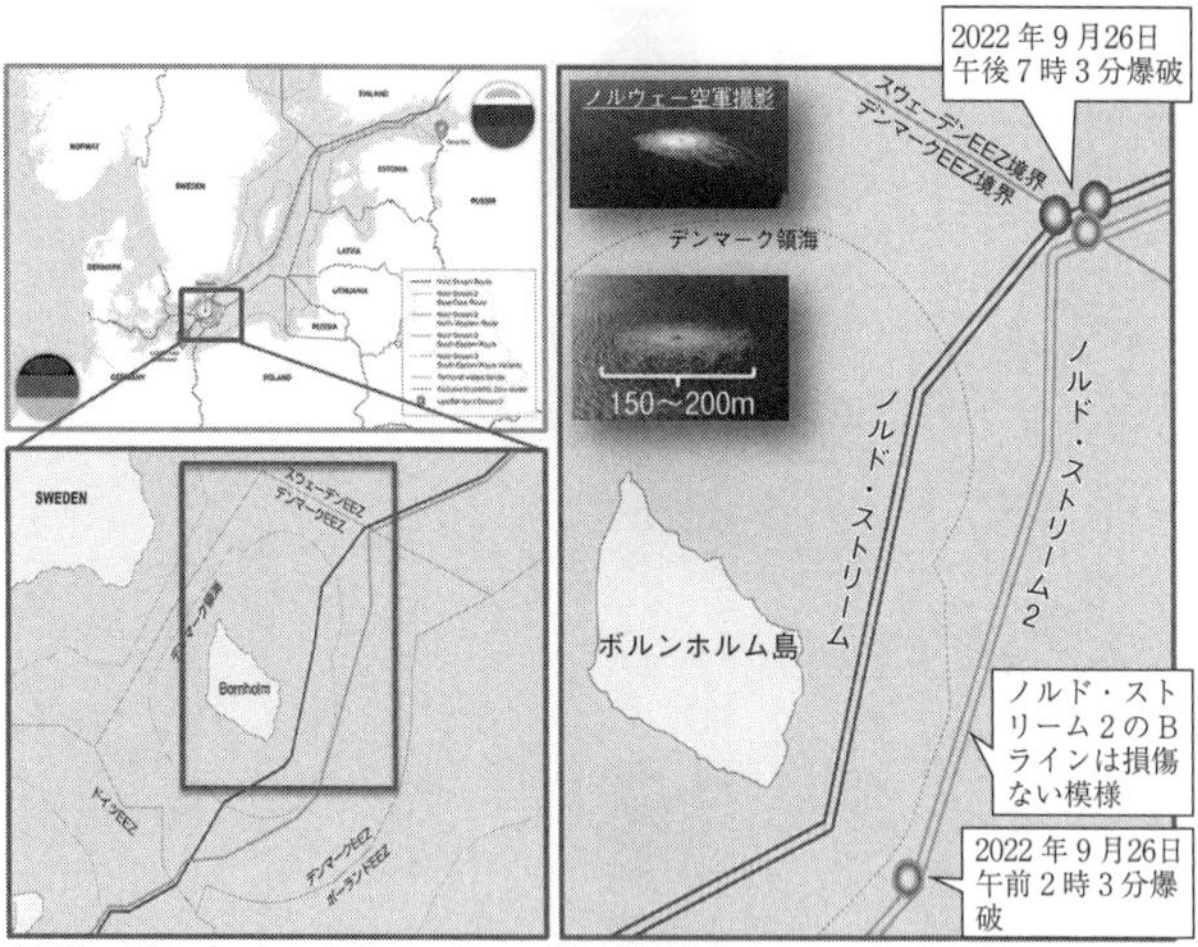

（出所：ガスプロムおよびノルウェー空軍公開情報をもとに筆者作成）

図1-13 「ノルド・ストリーム」および「ノルド・ストリーム2」に対する破壊工作（写真はパイプラインから漏出するガスによって出現した海面の泡）

欧州では、ロシアによるウクライナ侵攻と欧米の対露制裁措置、そしてそれに対するロシアのカウンター制裁の発動によって、半世紀以上にわたって培われてきた欧露のエネルギー分野の信頼関係が失われようとしていた。そのような中でのパイプライン破壊は、ロシア産エネルギーに対する拭いがたい不信感を欧州に植え付け、脱ロシアの加速を決定的なものとした。

2つ目は欧州ガス需給に対する影響である。欧州需要の20～25%程度を占め、ドイツの年間需要量の9割近くまで送ガス量を増加させてきた「ノルド・ストリーム」

は、ウクライナに代わる大動脈として作られたものであり、欧州のエネルギー供給のベースロードとして機能してきた。再稼働への見通しはまったく立っておらず、その喪失は、2022年8月にロシアが能動的に同パイプラインを停止したときのように、欧州においてガス需給逼迫と価格急騰をもたらし、その影響は世界のガス市場へ波及していくことになる。

3つ目の影響は「ノルド・ストリーム」を建設し運営する事業会社の株主であるガスプロム、そしてロシア政府に対するものである。誰が犯人であるにせよ、水深70〜80メートルに敷設された海底パイプラインに対する破壊工作は、石油ガスパイプラインという可燃物を輸送する公益インフラに対する攻撃の中でも最も難易度が高いものである。ロシアは自国領内に石油パイプラインでは約7万キロメートル、天然ガスパイプラインでは約17万キロメートルもの巨大インフラを抱えている。じつに地球約6周分にも及ぶこれらインフラは、そのほぼすべてが陸上に敷設または埋設されており、反ロシア勢力がいつ何時攻撃を行ってもすべてを防ぐことはきわめて難しいのが実情である。今回の破壊工作が提起するロシアが抱える問題については第4章でも詳しく触れるが、破壊工作からこれまでにロシア国内ではすでに6件ものエネルギー・パイプラインにおける爆破事件が発生しており、死者も出ている。

†国家が犯人

プーチン大統領は、破壊工作が行われた直後の2022年9月30日にウクライナ東部4州での住民投票を受けて開かれた式典で初めてこの件に触れ、今回の爆発について、アングロ・サクソンの妨害工作がヨーロッパのエネルギー構造を破壊していると糾弾し、黒幕に米英がいることを示唆した。ヨハンソン内務担当欧州委員（スウェーデン）は、特定の国家が今回の爆破事件の背後にある可能性があると述べている。今回のような海底パイプラインの破壊と隠匿にはきわめて高度な技術が必要であり、個人や団体だけではなく国の力が関与しなければ達成できないと考えられるからだ。

爆破工作が行われた排他的経済水域を所管するデンマークおよびスウェーデンは独自に潜水艦も動員した調査を開始するが、結果は人為的な破壊工作が行われたことを確認したというだけに留められ、どの国が関与したという結論には現時点でも到達していない。その後、米国ＣＩＡが計画・実行したとする説やロシア産原油を輸送するタンカーが関与したと見る説、ドイツを出港したヨット説、デンマーク・スウェーデン両国軍が関与したとする説も出ているが、どれも憶測の域を出ないものとなっている。

「ノルド・ストリーム」および「ノルド・ストリーム２」の破壊によって生じる関係国へ

の利益・不利益を考えることは、破壊工作の動機を炙り出し、その犯人を想定するうえで有益であろう。まず、天然ガス取引においてお互いにメリットがあり、双方が投融資を行ったパイプラインを破壊することに利益を見いだせないのが、これらパイプラインを建設し運営してきたロシアおよびドイツである。ロシアに至ってはちょうど1年前に自らの力で完成させ、米国に対露制裁に対する勝利の象徴となった「ノルド・ストリーム2」が破壊されただけでなく、欧州市場へガス輸出ができなくなり、欧州諸国を揺さぶることも価格高騰の恩恵を受けることもできなくなってしまった。

逆に利益をこうむる国は多々ある。欧州最大のガス需要国に対する最大の動脈が失われたことによって、ドイツ・ガス市場において最大（約6割）だったロシアのシェアが、他産ガス国に配分されることになった。その中にはシェールLNGを輸出する米国も筆頭として含まれる。産ガス国はロシアが「ノルド・ストリーム」を停止することで演出してきたガス市場における価格高騰も享受している。また、「ノルド・ストリーム」完成によって、ロシア産ガス・トランジット量とその収入を減少させてきた国（ポーランドおよびウクライナ）にも、代替ルートとしてガス・トランジット復活の可能性に向けた議論が出てくるかもしれない。

爆破工作翌日はバルト海パイプライン稼働式典だった

奇しくも爆破工作翌日の9月27日は、ノルウェー産ガスをデンマーク経由でポーランドへ輸出する「バルト海パイプライン」（年間輸送容量10ＢＣＭ）がポーランドまで開通したタイミングであった。ポーランド・モラヴィエツキ首相、デンマーク・フレデリクセン首相、ノルウェーのオースラン石油エネルギー大臣、ＥＵのシムソン・エネルギー担当委員が、ポーランド北西部、「ノルド・ストリーム」爆破工作現場から直線で１２０キロメートルにあるゴレニョフ・コンプレッサーステーション（ガス輸送のための加圧施設）に集い、大々的な開通式典が行われていた（写真1－1）。

写真１－１　「バルト海パイプライン」開通式典（出所：ポーランド政府）

「バルト海パイプライン」は、デンマーク石油ガス企業ＤＯＮＧ（現オーステッド）およびポーランド国営石油ガス会社PGNiGが、パイプライン建設とガス供給に関する合意を２００１年に署名したことに遡る。一時、経済的理由から中断されるが、２０１６年、新たに事業調査が実施され、２０１８年、需要家との間で15年間の供給契約が締結された国際プロジェクトである。

開通式典に先立つ9月23日には、PGNiGがノルウェーの石油ガスメジャーであるエクイノールと10年間のガス供給契約（年間2・4BCM）を締結している。ポーランドは2022年3月末にロシア政府が強制してきたルーブルでのガス代金支払いも拒否し、4月27日以降、ガス供給が停止されていた。脱ロシアを進めるポーランドにとって、「バルト海パイプライン」の稼働は2015年10月に完成したシフィノウィシチェLNG受入れターミナル（年間受入容量7・5BCM）と並んで、ロシア産ガスからの脱却を図る象徴的出来事でもあった。

なお、このプロジェクトと「ノルド・ストリーム2」とは、双方の建設過程で因縁関係が生じていたと言われている。プロジェクトに参加するデンマークは「ノルド・ストリーム2」の同国ボルンホルム島領海の建設許可について、他の国と同様2018年内に承認することが可能なはずであったが、2019年10月まで承認を引き延ばした。そこには、「ノルド・ストリーム2」稼働開始を遅延させ、2019年末に迎えたロシア・ウクライナ天然ガス・トランジット契約更新に対するウクライナへの援護射撃（「ノルド・ストリーム2」の見通しが立たなければ、ロシアはウクライナ経由に依存せざるを得ない）という思惑があったと考えられた。

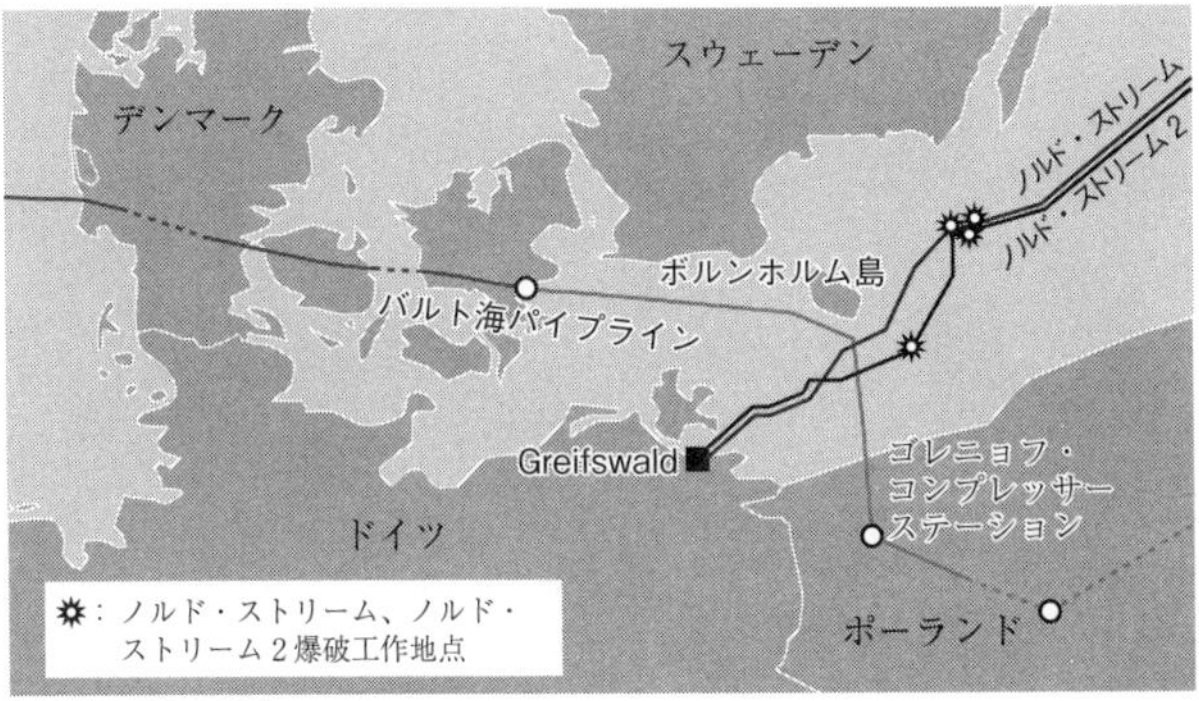

（出所：JOGMEC）

図1-14　バルト海パイプラインとノルド・ストリーム、ノルド・ストリーム2との位置関係

しかし、最終的に契約更新の直前、２０１９年10月に承認を行っている。その背景にあるのが、この「バルト海パイプライン」の建設である。「バルト海パイプライン」は「ノルド・ストリーム」および「ノルド・ストリーム２」とデンマーク領海海底で交差する（図1-14）。その場合、すでに建設された「ノルド・ストリーム」を跨《また》ぐことになることから、デンマーク・ポーランドは「ノルド・ストリーム」の運営母体であるガスプロムに対して建設許可を求めなければならない。お互いが承認し合わないといけないという利害が一致した結果、いわばバーター条件でそれぞれのパイプライン建設を認めたと考えられるのである。

　いずれにせよ、「ノルド・ストリーム」に対する爆破工作は、デンマーク、ポーランドそして欧州各国にとっては稼働を開始することになった「バルト海パイプライン」の重要性を高め、時宜を得たかたちで脱ロシア実現を喧伝することになった。

†それでも石油ガスは流れている

石油禁輸が発動され、「ノルド・ストリーム」も破壊されたにもかかわらず、ロシア産の原油および天然ガスは依然としてウクライナそしてトルコ経由で欧州に流れている。このことは興味深く、また重要である。ロシア・ウクライナ戦争の只中にあってもなお、ロシア産原油およびガスは当のウクライナを通って欧州に流れているのである。2022年の実績では原油についてはベラルーシから分岐し、ウクライナを経由し、東欧へ流れるフローで日量24万バレル程度が欧州へ輸出されており、2023年上半期には32万バレルまで増加している。天然ガスについては年間ベースで16BCMがウクライナを経由して同様に流れ続けている。現在の石油禁輸措置では、東欧諸国のうち、パイプラインで接続された国については時限的に輸入継続を認められており、天然ガスはまだ禁輸対象外だからである。また、天然ガスについてはパイプラインだけでなく、北極圏のヤマルLNGプロジェクトからの欧州向け供給量は、欧州のガス高騰と供給逼迫を受け、ヤマルLNGに出資する中国引取り分が価格の高い欧州へ流入することにより、さらに増加している。

戦争が起きれば、当事者間の貿易や商業取引はきわめて不安定な状況に陥ることは確かだが、それによって得られる利益・国益を優先するベクトルも働くという良い例と言える。売り手であるロシアにしてみれば、外貨を確保するとともに地政学的なツールとしての活用の可能性を残すという意味もある。トランジット料が得られるウクライナにとっても同様である。買い手の欧州諸国にとっても脱ロシアの実現は一朝一夕で実現できるものではなく、エネルギーが高騰する中で、相対的に安価なロシア産ガスが入手できるのであれば、購入を続けたいという思惑がある。

このことはロシア・ウクライナ戦争の「戦後」を考えるうえで示唆を与えてくれる。現時点では停戦協議の行方すら見通せない状況が続いているが、戦争を終結するベクトルは戦況を反映しながら時間が経つにつれて高まり、いつか「戦後」についての議論も出てくることは疑いない。その際に注目されるのは当事者であるロシアおよびウクライナ、そして関係国として欧州に裨益《ひえき》する平和的なテーマでありプロジェクトである。さまざまな可能性がある中で、ウクライナにある破壊されていない既存インフラであり、ロシアから欧州に向けて必要とされる石油ガスを輸送するパイプラインの活用が、その有力な候補として浮上してくることは十分に考えられるだろう。

第２章
前例なき対露制裁
——実態とその効果

2022年6月、ドイツ・エルマウで開催されたG7首脳会合
（出所：ドイツ政府［G7エルマウ］）

†「前例なき」制裁の発動

前章では、天然ガスを中心とするエネルギーの視点からロシア・ウクライナ戦争の背景について探ってみた。それに続く本章と次章では、欧米諸国による対露制裁の内容とその影響について見ていくことにしよう。

2022年2月24日のウクライナ侵攻直後からロシアは国際社会からの厳しい批判にさらされ、その矛先はロシアの財政の要であり、外貨獲得の手段であるエネルギー輸出に向かっていった。

当初は金融分野をターゲットとする経済制裁だったが、2月末から3月初旬にかけて、米国・英国・カナダ・オーストラリアの4か国がエネルギーの一部禁輸（米国およびオーストラリアはすべてのエネルギーを対象）を決定し、さらに英国とカナダがロシア船籍・ロシア人が管理する船舶の港湾利用禁止という事実上の禁輸政策を打ち出すに至って、市場にロシア産原油・石油製品・天然ガスを敬遠する動きが広がり始めた。

5月8日には欧州も港湾利用を禁止する措置をとり、G7においてはロシア産石油の段階的廃止・輸入禁止を目指すことが首脳宣言にも盛り込まれた。この首脳宣言を受け、欧州委員会でも石油禁輸の議論が活発化し、紆余曲折を経て、5月末に条件付きながら石油禁輸を柱とする制裁パッケージに合意し、6月3日に正式に発表した。その期限は原油については12月5日、石油製品については2023年2月5日と定められた（表2－1）。

さらにロシアが地政学リスクを能動的に高めたことで原油価格が高止まりしており、そ

表2－1　対露エネルギー禁輸・依存低減ガイドラインを発表した各国の内容と状況の違い

国・地域	内容	ロシア依存度	方法
カナダ	石油（petroleum）※当初は原油	原油・石油製品：0％	自国生産
米国	原油（crude oil）、石油（oil）、石油燃料、油およびそれらの蒸留製品、LNG、石炭および石炭製品	原油：3.3％ 石油製品：20.1％ LNG：0％	代替供給源模索（ベネズエラ制裁解除か）
英国	石油（oil、石油製品を含む）	石油：8％	代替供給源模索
オーストラリア	石油（oil）、精製石油製品、天然ガス、石炭およびその他のエネルギー製品	依存度：0％	自国生産
EU ※括弧内は拡大欧州の数値	ロシア産化石燃料への依存からの脱却（共同コミュニケ）	原油：28.2％（53.5％） 天然ガス：32.9％（75.5％）	省エネ・代替供給源・燃料ミックスを模索
	──第5次パッケージ（4月8日）：石炭・固形燃料・ジェット燃料の輸入制限。LNG・液化プロセス関連製品禁輸。 ──第6次パッケージ（6月3日）：ロシア産原油および特定の石油製品の輸入、転売、第三国への海上輸送にかかる保険および再保険の禁止。		

（出所：公開情報よりJOGMECとりまとめ）

の収入源を断つべく実装された制裁が効力を発揮できていないとの議論が高まる中、6月28日にはG7がかつてない制裁方策である「石油価格上限設定（プライスキャップ）」の検討を開始し、9月には年内導入合意に至った。これにEUも追従し、10月6日の第8次制裁パッケージに盛り込まれ、直前まで価格レベルの合意に時間がかかるも、12月5日、G7、EUおよびオーストラリアから成る「価格上限連合（Price Cap Coalition）」によって石油禁輸と並行して発動している。

2月22日から発動された一連の制裁は、これまで11の大きな波となって、ロシアの金融・石油産業を中心に蹂躙《じゅうりん》することになった（図2－1）。これら制裁の衝撃は、2014年のクリミア併合時と今次ウクライナ侵攻における制裁発動時のルーブル為替の変動を見ると明らかになる（図2－2）。上げ幅では双方とも2倍のルーブル安となっているが、2014年のときには10か月で市況が徐々に変化し、最終的に年末の米国の新たな制裁法であるウクライナ自由支援法へのオバマ大統領の署名を受けて大きく下落したのに対し、今次ウクライナ侵攻では2週間に満たない間で2倍のルーブル安となっている。また、対ドル・ルーブル減価も77ルーブルから最大で145ルーブルと史上最安値を更新した。2014年時点も最安値を更新したが、当時は36ルーブルから68ルーブル、つまりその差の32ルーブルが、10か月余りかけて現れた見かけ上の欧米制裁による経済圧力効果と言える

第1波（2022年2月22日〜24日）		ロシアの軍事産業への資金提供に重要な役割を果たす金融機関に対する制裁を発動（VEB・Promsvyazbank）。
第2波（同2月24日）		**経済制裁パッケージ発動**（対象金融機関拡大・ドル取引制限・輸出管理規制）。英国は「史上最大の金融制裁」。
第3波（同2月26日〜3月4日）		SWIFT からの排除(対象 7 行)。ロシア政府・中銀に対する外貨準備金活用を阻止。
第4波（同2月27日〜現在）		BPを皮切りにコスト回収を終えた外資が撤退プロセスに入ることを発表。他方、コスト未回収外資は新規投資停止・既存案件維持。
第5波（同3月1日〜2日）	→ 4月に拡大	ロシア船籍・ロシア人が管理する船舶の港湾利用禁止＝実質的な海上輸送の禁輸政策。 ※欧州はエネルギー輸送を例外とする。
第6波（同2月28日〜3月31日）		**禁輸措置発動** カナダ：石油禁輸（2月28日・3月10日） 英国：石油禁輸（3月8日）・石炭禁輸（4月6日） 米国：原油・石油製品・LNG・石炭禁輸（3月8日） ポーランド：石炭禁輸（3月30日） 豪州：石油・エネルギー禁輸（3月11日）
第7波（同3月11日）		**G7首脳声明** ロシアのエネルギー産業への新規投資を禁止(EU)。ロシア経済のあらゆるセクターへの新規投資を禁止(米)。
第8波（同4月5日〜）		**ブチャ虐殺・G7首脳声明** 米英：新規投資の全面禁止。 英国：年内に石炭・石油の輸入を終了し、天然ガスも早期に実現。 欧州：石炭禁輸。LNG 関連物品の禁輸。
第9波（同5月8日〜）		**G7首脳声明**　ロシア産石油(oil)の輸入を段階的に廃止または禁止することを含む、ロシア産エネルギーへの依存を段階的に廃止する。 EU：石油禁輸。海上輸送による石油輸入を年内停止。ハンガリー、スロバキア、チェコのパイプラインによる石油輸入は継続。
第10波（同6月27日〜）		**G7首脳声明**　金を含むロシアの収入を削減。石油価格上限設定に合意。 EU：上限設定採択。第8次パッケージで石油価格上限設定に合意。
第11波（同9月30日〜）		**英EU米日　ビジネスサービス提供の禁止**：建築、エンジニアリング、建設、製造、運輸。 **G7首脳声明**　ダイアモンド、金属、民生用原子力を対象として検討。

（出所：各国政府公開情報より JOGMEC とりまとめ）

図2－1　欧米が調整・団結し発動された「前例ない」規模の制裁

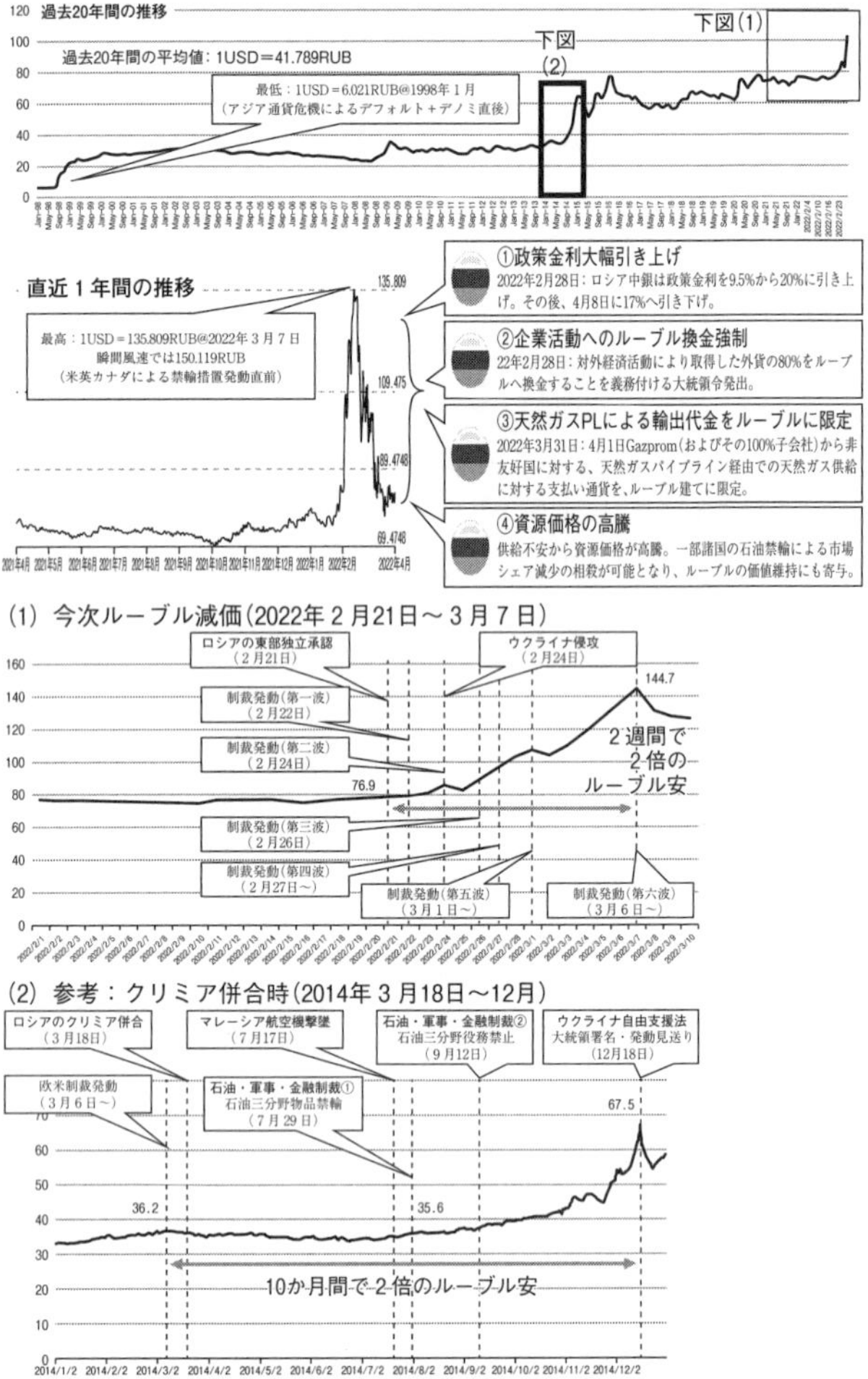

過去20年間の推移
過去20年間の平均値：1USD＝41.789RUB
最低：1USD＝6.021RUB@1998年1月
（アジア通貨危機によるデフォルト＋デノミ直後）
下図(2)
下図(1)
直近1年間の推移
最高：1USD＝135.809RUB@2022年3月7日
瞬間風速では150.119RUB
（米英カナダによる禁輸措置発動直前）
135.809
109.475
89.4748
69.4748
①政策金利大幅引き上げ
2022年2月28日：ロシア中銀は政策金利を9.5%から20%に引き上げ。その後、4月8日に17%へ引き下げ。
②企業活動へのルーブル換金強制
22年2月28日：対外経済活動により取得した外貨の80%をルーブルへ換金することを義務付ける大統領令発出。
③天然ガスPLによる輸出代金をルーブルに限定
2022年3月31日：4月1日Gazprom（およびその100%子会社）から非友好国に対する、天然ガスパイプライン経由での天然ガス供給に対する支払い通貨を、ルーブル建てに限定。
④資源価格の高騰
供給不安から資源価格が高騰。一部諸国の石油禁輸による市場シェア減少の相殺が可能となり、ルーブルの価値維持にも寄与。
(1) 今次ルーブル減価（2022年2月21日～3月7日）
ロシアの東部独立承認（2月21日）
ウクライナ侵攻（2月24日）
制裁発動（第一波）（2月22日）
制裁発動（第二波）（2月24日）
制裁発動（第三波）（2月26日）
制裁発動（第四波）（2月27日～）
制裁発動（第五波）（3月1日～）
制裁発動（第六波）（3月6日～）
76.9
144.7
2週間で2倍のルーブル安
(2) 参考：クリミア併合時（2014年3月18日～12月）
ロシアのクリミア併合（3月18日）
マレーシア航空機撃墜（7月17日）
石油・軍事・金融制裁②
石油三分野役務禁止（9月12日）
ウクライナ自由支援法
大統領署名・発動見送り（12月18日）
欧米制裁発動（3月6日～）
石油・軍事・金融制裁①
石油三分野物品禁輸（7月29日）
36.2
35.6
67.5
10か月間で2倍のルーブル安

（出所：ロシア中銀レート等から JOGMEC とりまとめ）

図2−2　2014年クリミア併合時と今次のルーブル・ドル為替の推移

だろう。それと比較すると、今回は高油ガス価情勢にもかかわらず、2014年の2倍以上の68ルーブル（77ルーブルから145ルーブル）という制裁効果がたった2週間のうちに顕在化したことも注目される。

†3つの政策と1つの神風

とはいえ、その後ルーブルは侵攻前の水準に戻り、落ち着きを取り戻したかのようにもみえる。これをもって制裁効果がなかったとする論調も聞かれるが、じつはルーブル水準の回復はロシア政府による3つの政策と1つの神風が吹いたことに起因している。3つの政策とは、①政策金利の大幅引き上げ、②企業活動で得られた外貨のルーブル換金強制および③天然ガスパイプライン輸出代金のルーブル換金によるルーブル減価の食い止めであり、神風とは資源価格の高騰である。

重要な点は、これらは見かけ上ルーブル減価を食い止めているように見えるが、あくまでロシアの国内政策によるものであり、国際的にルーブルが侵攻前の信用を回復したとは言えないということである。したがって、ルーブルの水準が回復したことをもって制裁が無効化されていると単純に結論づけることはできない。

また一連の対露制裁の効果は、ロシア政府だけでなく、時価総額で各社数百億ドルという評価を与えられていたロシア主要企業にも株価暴落というかたちで現れた。ロシアがウクライナ侵攻を始める直前の2月23日と3月2日の終値ではガスプロムは91%、ロスネフチは89%も下落した。これを受けて、モスクワ証券取引所では2月25日を最後に株式取引が停止され、ロンドン証券取引所も3月3日に上場するロシア関連企業27社の株式(預託証券)の取引を停止することを決定したのである。

これだけの制裁が課されたのだから、2022年はさぞロシアは痛手を負っただろうと期待されたのも当然だった。しかし、ロシアのマクロ指標ではGDP成長率は、一時はマイナス2桁台を記録するとの分析も出たものの、通年の結果ではわずか2・1%のマイナスに留まった(図2-3)。

ネガティブな影響が抑制されたのはおもに4つの要因、すなわち①ロシア中銀の適切な資本規制と金融政策、②政府による投資主導、③資源高、そして④輸入減によるものであったと考えられる。とはいえ、もしロシア・ウクライナ戦争が起きなかった場合、2021年末頃までに出された予測ではロシアの2022年の経済成長率は約3~5%で推移するとされていた。すなわち、両者の差である5~7%のマイナス成長というのが今般の戦争と一連の制裁の影響とみることもできる。

さらに西側の制裁は石油禁輸に至るまで2022年6月の年央には合意に至っていたが、

実際に発動されたのは12月からである。そして、資源高というロシアが自作自演で吹かせた神風も、原油は6月をピークに、天然ガスは8月をピークに下降し続けてきた。つまり、2022年はなんとか乗り切ったロシアだが、西側制裁によって縮小するロシア財政の真

主要経済指標		2014年	2015年	2016年	2017年	2018年	2019年	2020年	2021年	2022年
		ソチ五輪	クリミア併合・欧米制裁発動	OPECプラス減産開始		FIFAワールドカップ		新型コロナウイルス OPECプラス崩壊と復活		ウクライナ侵攻 前例なき欧米制裁発動
GDP成長率	前年比／%	0.7	▲2.0	0.2	1.8	2.8	2.2	▲2.7	5.6	▲2.1
名目GDP	億ドル	20,741	13,681	12,887	15,742	16,538	16,931	14,883	17,811	22,117
一人当たりGDP	ドル	14,095	9,313	8,704	10,721	11,287	11,536	10,195	12,594	15,076
インフレ率	年末値／前年比／%	11.4	12.9	5.4	2.5	4.3	3.0	4.9	8.4	11.9
失業率	%	5.2	5.6	5.5	5.2	4.8	4.6	5.8	4.8	3.9
平均賃金	月収／ルーブル	32,495	34,030	36,709	39,167	43,724	47,867	51,344	57,244	64,191
貿易収支	億ドル	2,103	1,606	1,032	1,294	2,111	1,772	1,047	1,996	3,324
外貨準備高	年末値／億ドル	3,855	3,684	3,777	4,327	4,685	5,544	5,958	6,306	5,775
国民福祉基金残高	年末値／億ドル	780	717	719	652	581	1,256	1,834	1,826	1,484
輸出に占めるエネルギー部門比率	%	70.5	63.8	58.2	59.3	63.8	62.1	49.6	54.3	64.9
国際原油価格平均（ブレント）	バレル当たりドル	99	52	44	52	72	65	43	71	国際価格：99 ウラル原油：76
ルーブルレート	ルーブル／ドル	38.6	61.3	67.0	58.3	62.8	64.7	72.3	73.7	69.6

GDP成長率
2022年は2桁マイナスが予想される中、▲2.1に抑制
→侵攻前の2022年ロシア経済成長率見通しは3～5%。したがって、正味▲5～7%。
→抑制されたのは4つの要因。
①中銀の適切な資本規制と金融政策
②政府による投資主導
③資源高　④輸入減

外貨準備・国民福祉基金の減少
→ロシアの自作自演による資源高にもかかわらず基金繰入額は上がらず、減少傾向に。

ロシア産石油の値下げ
→制裁リスクプレミアムを意識し、ロシア産原油・石油製品が国際価格では売れず。

（出所：ロシア国家統計庁、財務省、ロシア中銀および税関庁等から筆者作成）

図2-3　ロシアのマクロ経済指標の推移

の姿は2023年に現れてくることになるだろう。

米国財務省や欧州委員会、英国トラス外相（当時）が使用してきた「前例なき」制裁（Unprecedented Sanctions）という言葉は大袈裟に聞こえるかもしれないが、このように対露制裁が発動された2014年クリミア併合時と比較してもその影響に大きな差があり、また、その効果はこれから顕在化してくることが分かる。さらに後で説明することになる「石油価格上限設定」という制裁手段としては初めての試みや、米国・サウジアラビアに並ぶ世界最大の産油国であるロシアに対して石油禁輸措置が発動されていることも、まさに前例のないレベルでの制裁ということになるだろう。

他方、米国が厳しい制裁を課すイランや北朝鮮と比較すれば、そのレベルにはまだ到達していないことも確かである。特に現時点では一部グレーな部分もあるものの、西側各国政府は基本的には自国民だけを対象とした一次制裁に留まっているからである。このことは言い換えれば、対露制裁は外国人も対象とする二次制裁への拡大というさらなる「伸び代」を有していることを示している。

†ロシアの過信——2014年クリミア併合時制裁への耐性と強靭化

そもそもウクライナ侵攻に当たってはロシア側に大きな誤算があった。それは欧米は制裁を発動できないのではないか、または発動されても彼我双方に影響のある大規模な制裁には合意できないのではないかという認識である。

2021年12月以降、ウクライナ侵攻の懸念が高まる中、欧米ではそのような事態が生じた場合に具体的にどのような制裁を発動するべきかについての議論は行われていた。米国では2022年1月12日に制裁案（DUSA法案）が出され、米国政府が差し迫ったウクライナ侵攻を訴えるも、上下両院で議論が続き、実際に侵攻が始まった2月24日時点でも合意に至らない状況が続いていたのである。この背景には「彼我への影響に鑑みれば、プーチン大統領はメリットより不利益の多いウクライナ侵攻という非合理的な判断は行わないだろう」という見方が、欧米政府・議会内でも優勢であったためと考えられる。

また、ウクライナ侵攻という第二次世界大戦以降、欧州が経験したことのない近域での大規模な二国間の戦争という事象が現実のものとなるまでは、欧米ではロシアに厳しい制裁を課せば課すほど、返り血を浴びる量も増えるという懸念もあって、具体的な制裁メニューについての真剣な議論が進まなかったと推察される。

ロシアはそのような欧米の状況を見て、ウクライナへ侵攻しても欧米は一枚岩で厳しい制裁を発動できないのではないか、2014年のクリミア併合のときと同じような小出しの制裁に留まるのではないかと、欧米制裁を軽視した可能性がある。

2014年3月にロシアがクリミアを併合し、最初の欧米制裁が発動してから、丸8年が経過していた。当初個人や団体・企業を対象とした制裁は同年7月に発生したウクライナ上空でのマレーシア航空機撃墜事故を受けて、石油・軍事・金融セクターを対象とする分野別制裁に拡大した。石油産業については、「将来的石油生産ポテンシャルのある」分野、すなわち大水深(152メートル以深)、北極海、そしてシェール層開発に必要な資機材について、7月から実質的禁輸措置が実施されていた。

ロシアの原油生産の中心はソ連時代から半世紀にわたって開発されてきた西シベリア地域であり、今後生産量は減退していくことが見込まれている。そこでロシアは現在の主力生産地域と分布が重なり、さらに地下深度に存在するバジェノフ層と呼ばれるシェール層開発や、大きな資源ポテンシャルを有する北極海に期待を寄せていた。これらは外資の技術なくしては開発が進まない資源フロンティアであり、欧米制裁はまさにこうしたエリアをターゲットとしていた。将来的な「石油(oil)」生産ポテンシャルをターゲットとし、天然ガスを対象外とした背景には、実際の原油・天然ガスの禁輸措置を行えば、その受益者である欧州諸国が損害をこうむるとの判断があった。

同年9月には、さらに踏み込んだ制裁として資機材の禁輸を役務(サービス)にまで拡大したものの、全会一致を原則とする欧州は、効果が不明瞭で、欧州企業にも影響のある新たな種類の制裁を課すことをためらい、その後は既存制裁の延長を繰り返してきた。一方の米国はオバマ政権下の2014年12月にウクライナ自由支援法（大統領は署名するが発動はせず）、トランプ政権下では新たな制裁法「敵性国家対抗法」（2017年8月）や2019年12月に国防授権法に相乗りするかたちで「ノルド・ストリーム2」等をターゲットとする新たな制裁を発動してきた。

しかし、この8年の間、ロシアは足元の生産量で、コロナ・パンデミック前の2019年に原油および天然ガスともソ連時代を含めても過去最高値を記録していた（図2-4）。制裁の対象となった北極海開発でも2014年9月の制裁発動直後に確認されたロスネフチおよびエクソンモービルによるカラ海でのパビェダ（勝利）鉱床の発見後、継続的にカラ海にてロスネフチおよびガスプロムによる試掘・評価井の掘削が行われており、大規模炭化水素の賦存が確認されてきたのである。

さらにもう1つの制裁対象分野であるシェール層開発については、米国のシェール革命に倣《なら》い、ロシアでも2012年前後に複数の外資とシェールオイル開発技術導入に合意していた。これらは制裁発動によって凍結されたと見られていたが、ルクオイルやガスプロムネフチ等ロシア企業が独自に開発を行っており、実際にその成果も出てきていたことが分かっている。制裁環境は逆にロシア自らの産業能力向上を促し、2014年に53%だっ

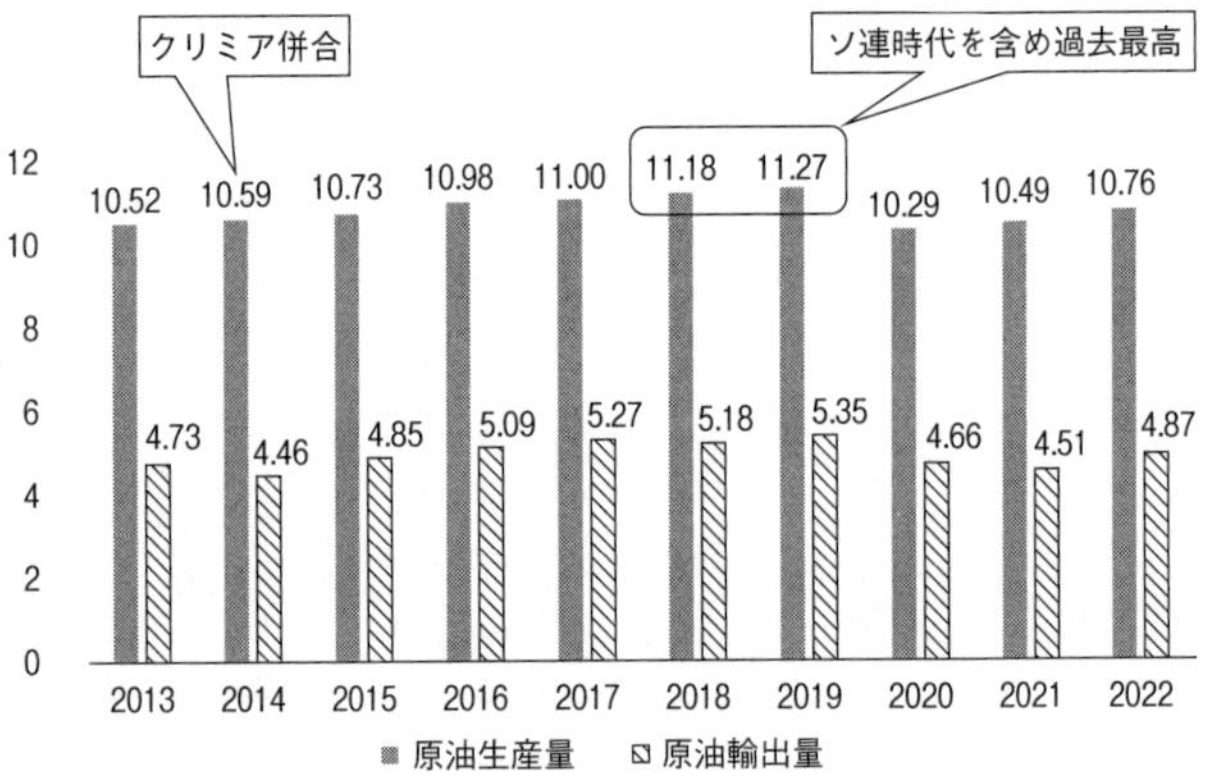

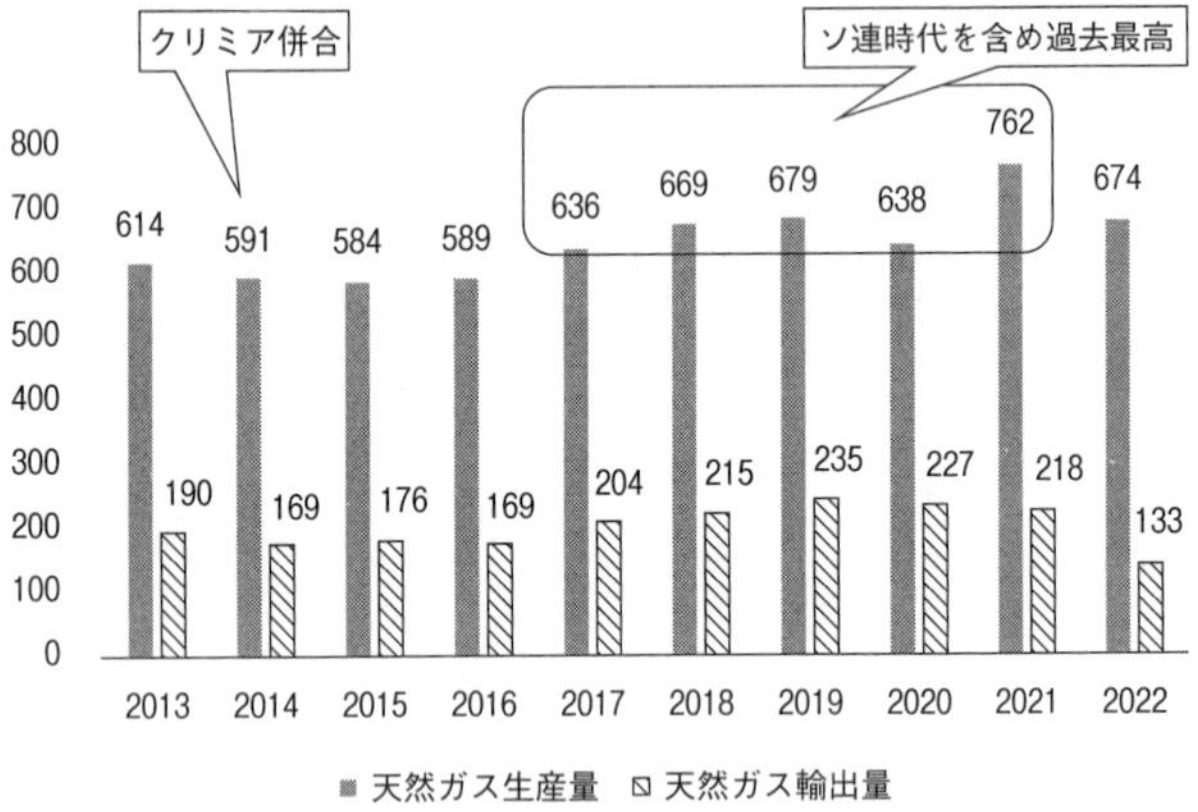

（出所：エネルギー省、BP 統計、公開情報から JOGMEC とりまとめ）

図2－4　ロシアの原油（上図：日量・百万バレル）および天然ガス（下図：年間・BCM）各生産量および輸出量の推移

た石油ガス産業の対外依存度を２０２１年には40％にまで低減することに成功したとも言われている。

†「ノルド・ストリーム2」の独自完成

決定的だったのは前述の「ノルド・ストリーム２」のロシア自らの手による完成である。２０１９年12月、同パイプラインにパイプライン敷設船を提供する外国企業を対象とする制裁の発動により一度は建設停止を実現した米国だったが、ロシア政府・ガスプロムが、パイプライン敷設船だけでなく、制裁対象となるサービスすべてを外資に頼らず自前で準備し始めたことによって、逆に米国制裁が無効化される状況に追い込まれることになった。

ガスプロムは米国の制裁発動後、約1年をかけて2隻のパイプライン敷設船を準備し、ついに２０２０年12月からドイツ水域でのパイプ敷設を再開。翌年1月からデンマーク水域での敷設を開始した。その間、ロシアでは反体制派のナヴァルヌィ氏毒殺未遂事件と同氏の拘留問題が発生し、欧米が足並みを揃えて反ロシアを訴える状況も発生したが、建設が淡々と進む「ノルド・ストリーム２」に関して欧州が制裁に踏み込むことはなかった。トランプ政権からバイデン政権に移行した米国だけがパイプラインに関連する追加制裁を発動するも止められない状況が続き、このままでは早ければ２０２１年5月には完成してしまうという見通しも出てきていた。

完成は不可避と理解したバイデン政権は、完成阻止から容認へと180度方向を転換する。2021年5月、「ノルド・ストリーム2」に対する制裁対象では最も効果があると考えられてきた事業会社であるNord Stream 2 AG社およびその社長で、プーチン大統領と親交が深く、ロシア利権に食い込む元東ドイツ秘密警察出身のドイツ人マティアス・ワーニッヒ代表については「制裁の適用を放棄することが米国の国益であると判断した」ことを明らかにしたのがそれである。

そして、その2か月後、在任中では最後となるメルケル首相訪米を経た7月21日、同パイプライン稼働を事実上認める米独合意を発表することとなった。9月に退任が控えるメルケル首相の在任中に、ドイツ議会選挙による混乱を避け、発表後の関係国での調整時間の確保も含んだタイミングでもあった。同年の9月6日、ついにNord Stream 2 AG社は最後のパイプ溶接を完了し、ミレル・ガスプロム社長が10日に「ノルド・ストリーム2」が完成したことをプレス発表する。米国他第三国の執拗な攻撃を受けながらもロシア側は対策を練り、実行し、特に米国制裁の無効化に成功したという「ノルド・ストリーム2」完成の発表は、ロシアにとって海洋パイプラインという外資に依存してきた分野において ロシアが独自で敷設が可能であることを示すとともに、米国制裁に対する「勝利宣言」という意味も持つものであったと言えるだろう。

同パイプライン完成は、米国の制裁を無効化することに名実ともに成功し、外資依存分野をロシア主導で克服した象徴的な事例となった。ロシアのウクライナ侵攻という決断の背後に、クリミア併合による制裁発動から8年、前年には「ノルド・ストリーム2」の完成に至っており、欧米制裁は結果的にロシアを強靭化してきたという自信と、どんな制裁にも対応できるだろうという過信が、ロシアに生まれていたと考えてもおかしくはない。

†なぜ天然ガスは禁輸にならないのか

ロシア産エネルギーの禁輸という側面で見た場合、原油と天然ガスでは事情がまったく異なることが、西側諸国が天然ガス禁輸に踏み込めない背景にある。図2-5の通り、ロシア産原油では欧州全域への輸出シェアは54%、天然ガスでは同76%、石炭では41%に上る。輸出シェアが相対的に少ない石炭や石油が禁輸対象に挙がった理由の1つをこの割合にも見て取ることができる。

また、ロシアはサウジおよび米国に並ぶ世界最大級の原油生産量と、世界最大の埋蔵量を誇る天然ガス（生産量は米国に次いで第2位）を有しており、G7のうち、ドイツ、フランス、イタリアという3か国と原油天然ガスパイプラインという固定インフラで結ばれて

原油　禁輸対象

世界シェア（生産量ベース）12.1%

輸出先シェア	
カナダ	0.3%
米国	2.3%
中南米	0.1%
欧州	53.5%
旧ソ連	6.4%
中東	1.9%
オセアニア	0.3%
中国	27.1%
インド	1.0%
日本	2.8%
その他アジア諸国	4.1%

天然ガス

世界シェア（生産量ベース）16.7%

輸出先シェア	
トルコ	5.7%
中南米	0.1%
欧州	75.5%
旧ソ連	11.2%
中東	0.3%
中国	1.5%
インド	0.1%
日本	3.4%
その他アジア諸国	2.2%

石炭　禁輸対象

世界シェア（生産量ベース）5.8%

輸出先シェア	
メキシコ	0.6%
中南米	1.2%
欧州	41.1%
旧ソ連	2.8%
中東	1.7%
アフリカ	2.4%
中国	13.9%
インド	3.8%
日本	9.2%
韓国	13.3%
その他アジア諸国	9.9%

石油製品　禁輸対象

世界シェア（輸送量ベース）13.3%

輸出先シェア	
カナダ	0.2%
メキシコ	0.1%
米国	11.1%
中南米	1.7%
欧州	64.5%
旧ソ連	2.5%
中東	2.0%
アフリカ	2.9%
中国	1.9%
インド	0.6%
日本	0.7%
シンガポール	5.7%
その他アジア諸国	6.2%

〈参考〉欧州需要をロシア以外の調達先に振り替え可能か？

原油	欧州53.5%＝日量278万バレル	他産油国の供給余力、輸送インフラから技術的に可能。
天然ガス	欧州75.5%＝年間185BCM	他産ガス国の供給余力がなく、輸送インフラ構築にも時間を要する。ドイツが進めるFSRU（浮体式 LNG 受入れターミナル）も需要量を満たせず、調達先（条件）も不透明。
石炭	欧州41.1%＝年間２百京ジュール	他産炭国の供給余力、輸送インフラから技術的に可能。

※「欧州」は EU 加盟国のほかバルカン諸国等も含む（出所：BP 統計から筆者作成）

図２−５　ロシア産原油、天然ガス、石炭および石油製品の輸出先シェア

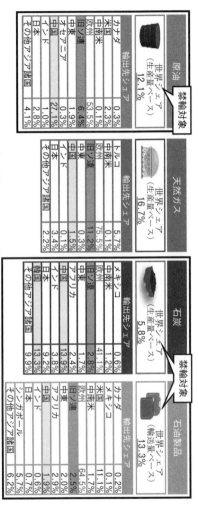

いる。石炭も石油も、代替供給国の選択肢の多さ、固定インフラ（鉄道・海上輸送）面でも原油天然ガスに比べ、段階的廃止による影響が少ないと判断されたのだろう。それは①供給余力、②輸送インフラ、③ロシアの生産地域の特徴という3つの違いにも表れている。

供給余力

原油の供給余力（スペア・キャパシティ）は、スイング・プロデューサー（産油国の中で需給変化に応じて原油生産量を増減させる余剰能力を持つ調整役）としての地位を有するサウジアラビアを筆頭として、中東産油国を中心に世界に日量700万バレルほどあると言われている（図2－6）。ロシアの輸出量が同400万～500万バレルであることを考えれば十分な量であり、OECD諸国の在庫や各国が保有する戦略石油備蓄（SPR：Strategic Petroleum Reserves）とあわせると、本格的な供給途絶の際にも代替供給源があるという一定の安心感を市場に与える数字である。

他方、天然ガスには現時点ではサウジアラビアのようなスイング・プロデューサーが存在しない。他産ガス国にスペア・キャパシティと呼べるものはなく、あえて言えばロシアだけが欧州に対してパイプラインでの供給余力を有するが、その欧州がロシア産ガス離れを加速しようとしている状況にある。欧州の在庫は需給や気候に左右されやすく流動的で

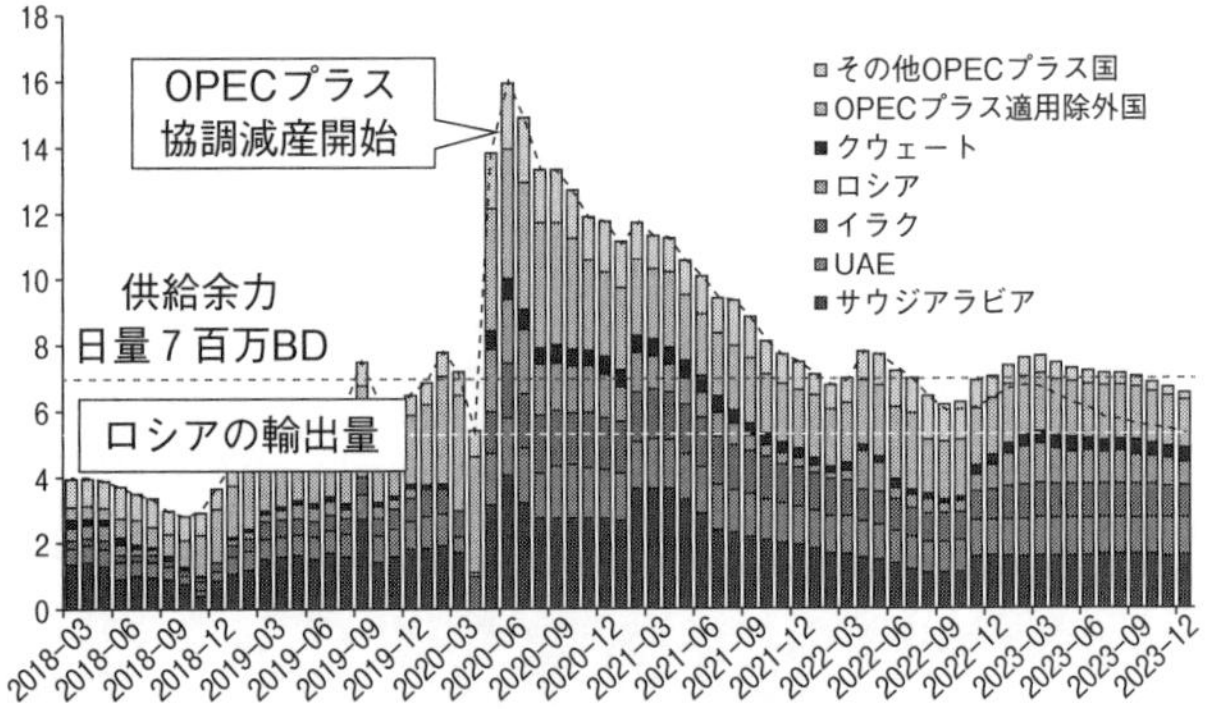

（出所：Rystad Energy 資料に筆者加筆）

図２－６　主要産油国の原油生産供給余力の推移（単位：日量100万バレル）

あり、その他の消費国におけるガス貯蔵・在庫の整備も十分とは言えない。ロシアにしか供給余力がないという現況が改善するのは、カタールの新規プロジェクトや米国シェールＬＮＧによる供給が積み上がっていく２０２５〜２６年以降となると見られている。

輸送インフラ

輸送インフラの特性も天然ガスが供給余力を持たない理由に結びつく。天然ガスは気体でのパイプライン輸送（国と国を結ぶ国際パイプライン）か、液化しなければならない特殊な海上輸送という硬直的なインフラを使う必要があり、常温常圧で大量輸送が可能である原油とは異なる。ガス供給余力を有するロシアも、そのガスを追加的に柔軟に輸出することができるのはパイプラインで接続されている国に限定される。

天然ガスの液化には巨額の投資が必要であり、その長期間に及ぶコスト回収の必要性からマーケット（買い手）が付く見通し数量での設計生産（液化）容量とならざるを得ない。供給余力という概念は経済性を毀損するため、そもそも存在しないのがＬＮＧプロジェクトの特徴と言えるだろう。

ロシアの生産地域の特徴

端的に言えば、ロシアは原油については東西がパイプラインで接続されている一方、天然ガスは東西がパイプラインで結ばれておらず、欧州向けの天然ガスは西シベリア・ガス田から、中国向けの天然ガスは東シベリア・ガス田からと、それぞれ異なる生産地域から輸送されている。したがって、成長著しい中国を欧州の代替市場にしようとしたとしても、そのためには欧州向け西シベリア・ガス田と中国を結ぶパイプラインの建設が必要となる。これが後述する対中新規パイプライン「シベリアの力２」である。現時点で露中が速やかに合意に至った場合、２０２４年に建設を開始し、２０２９年頃の完成という可能性があるものの、今から5年以上先のことであり。ロシアが一朝一夕に欧州の天然ガス市場を中国で代替することには至らない。

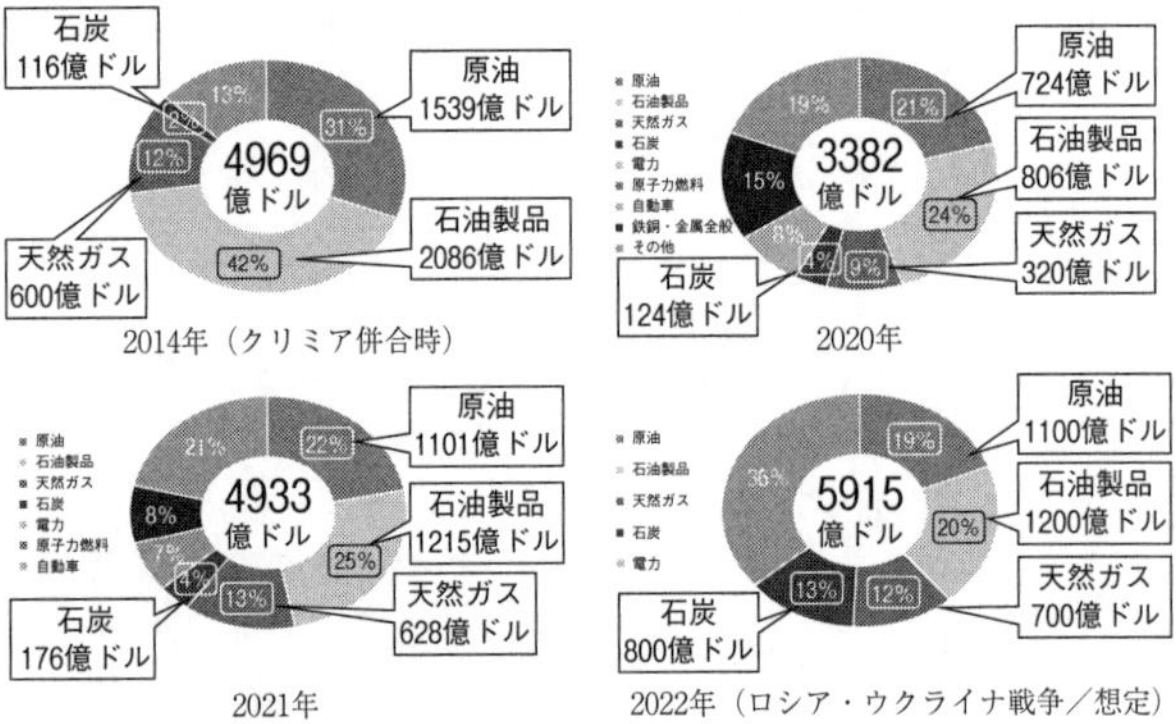

（出所：ロシア財務省資料から筆者試算・作成）

図２－７　ロシアの物品別輸出総額内訳

†ロシアの歳入に占める石油収入のインパクト

ロシア財務省によれば、２０２２年ロシア政府の歳入に占める石油ガス産業からの収入は前年の36％から6ポイント増加し、42％に達したとされている。ロシアはいわゆる「資源の呪い」、「オランダ病」という資源収入依存のモノカルチャー経済にあると言われるが、そのことは輸出総額に占める石油ガス産業シェアにも表れている。

２０２１年は石油（原油および石油製品）、天然ガスおよび石炭という炭化水素資源だけで、輸出総額シェアのうち、じつに64％を占めた。資源価格も高騰したクリミア併合時の２０１４年にはその比率が8割を超えることすらあったのである。さらにその中で石油収入は約5～7割を占め、ロシア財政のまさに要となっている（図２－７）。

他方、石炭は1桁で国際価格が上がっても10％程度、天然ガスも10％台前半と、石油収入に比べれば、はるかに規模が小さいことが分かる。

したがって、石油禁輸に踏み込むことは西側諸国にとっては、代替供給源もありながら、ロシアに大きな痛手を与えることができる一石二鳥のターゲットであったと言える。一方、天然ガスについては代替供給源がロシア以外になく、禁輸がもたらす返り血（供給途絶による市場混乱）の多さと石油に比したロシア財政への相対的なインパクトの低さから現時点では禁輸対象とはなっていないことも、ここから読み取ることができる。

†買い手版カルテルという史上初の試み――プライスキャップの実装

ロシア産石油禁輸に向けた動きと並行して、その抜け道として、①ディスカウント分をカバーできるほどの原油価格高止まりによる収入増加、②制裁を課していない「友好国」によるディスカウントされたロシア産原油の購入継続という2つの問題が浮上していた。これらを解決し、対露制裁の実効性を確保していく方策についての議論が高まってきた。

その対策として、米国が中心となってロシア産石油（原油および石油製品）に対して上限価格を設定することが提案された。これが、石油禁輸と同時に発動された「プライスキャップ（石油価格上限設定措置）」である。

「プライスキャップ」は、ロシア産石油の海上輸送における「海運サービス」、「通関サービス」、「金融サービス」および「保険サービス」について、価格上限を超える取引に対して、西側諸国がロシア産石油の海上輸送に関与する企業にそれらサービスの提供を禁止するかたちで実装された。特に保険分野においては、油濁事故や港湾に及ぼされた損害といった大規模事象をカバーする船主責任（P&Iと呼ばれる）保険において、世界的に認められているものは米欧英日の13クラブに限定されており、代替できる保険サービスが実質的に存在しないことが、この措置が実効力を持つ根拠となっている。

石油禁輸およびプライスキャップ発動の3日前となる2022年12月2日、具体的な価格上限は原油についてはバレル当たり60ドルに設定すると発表された。また変動する市場の動向をタイムリーに評価するために、価格設定はその後2か月ごとに実施することも盛り込まれた。さらに、若干の猶予を設けて2023年2月5日からは、発動された石油製品については、2つの上限価格（ガソリンや軽油等の原油に比して市場価値の高い製品は、1バレル当たり100ドル。重油等の原油に比して市場価値の低い製品は同45ドル）が設定された。

売り手が生産調整を行い、価格コントロールを行うカルテルはOPECを筆頭にこれまでも存在してきたが、買い手がある特定の国を指定し、その販売価格に上限を設けることで、特定制裁対象国の収入を断つというこの試みは史上初のものであり、当初からその効果を疑問視する声があった。そもそも石油禁輸とともに発動されたことで、あたかもロシア産石油不買運動の一環であるかのような誤ったイメージもあった。真っ当な指摘としては、個々の石油取引契約は守秘義務によって販売された価格を公開されておらず、石油製品に至っては原油よりもその取引形態や経路が複雑であり、上限価格を遵守したかどうか完全に規制を行うことは難しいことも挙げられた。また、この措置の発動により市場が混乱する危険もあり、需給が逼迫してしまい、ロシアは価格が高騰する恩恵を受ける可能性もあった。さらに、ロシア政府が独自の保険、独自のタンカー傭船を組織することで、この措置に対抗する可能性も指摘された。

†「友好国」を巻き込む妙案

しかし、大方の懸念を裏切り、プライスキャップの実装はその効果を上げ、ロシア政府の石油収入に歯止めをかけることに成功している。そのポイントは、ロシアの財政の要である石油収入を縮小させつつ、ロシアを利するような価格急騰を抑制すべく、世界への石油供給は維持させるという、半ば相反する目的を同時に達成できたことにあった。

G7およびEU等が設定した価格上限（バレル当たり60ドル、FOB価格と呼ばれる原油積出港での価格）は、ロシアの限界生産コストの平均である40〜48ドルを十分に上回るため、ロシアに供給インセンティブを与え、２０２２年の政府予算想定油価もクリアするレベルでの設定となっていた。また、国際原油価格は２０２２年末から70〜80ドル台を推移しており、平均で26ドルに及ぶロシア産原油に対するディスカウントによって、ロシア産原油の実勢価格は価格上限である60ドルを十分に下回ってきた。

プライスキャップが成功している最も重要な点は、価格上限設定という制裁設計上で、ロシアにとっての「友好国」である中国、インドおよびトルコ等を取り込むことに成功したことにある。これらの国はなにもロシアに対する友情や同情からロシア産原油の購入を継続・増加しているわけではない。単に、ロシア産原油が国際価格に比べて格段に安いから購入しているのである。

ウクライナ侵攻による制裁発動によって、ロシア産石油が制裁リスクにさらされた結果、大幅な値引きを余儀なくされ、そこにこれらの国が群がっている。欧米諸国による石油禁輸措置やプライスキャップ（海上輸送サービスの上限価格を超える取引への提供禁止）は、ロシア産石油に対するリスクをさらに高めることにつながり、結果として、さらにロシア産石油の値引き幅の拡大に寄与する。つまり、これら「友好国」にロシア産石油を買い叩き、値引きさせる材料を提供しているのだ。むろん、それによってもっと安い石油が調達でき

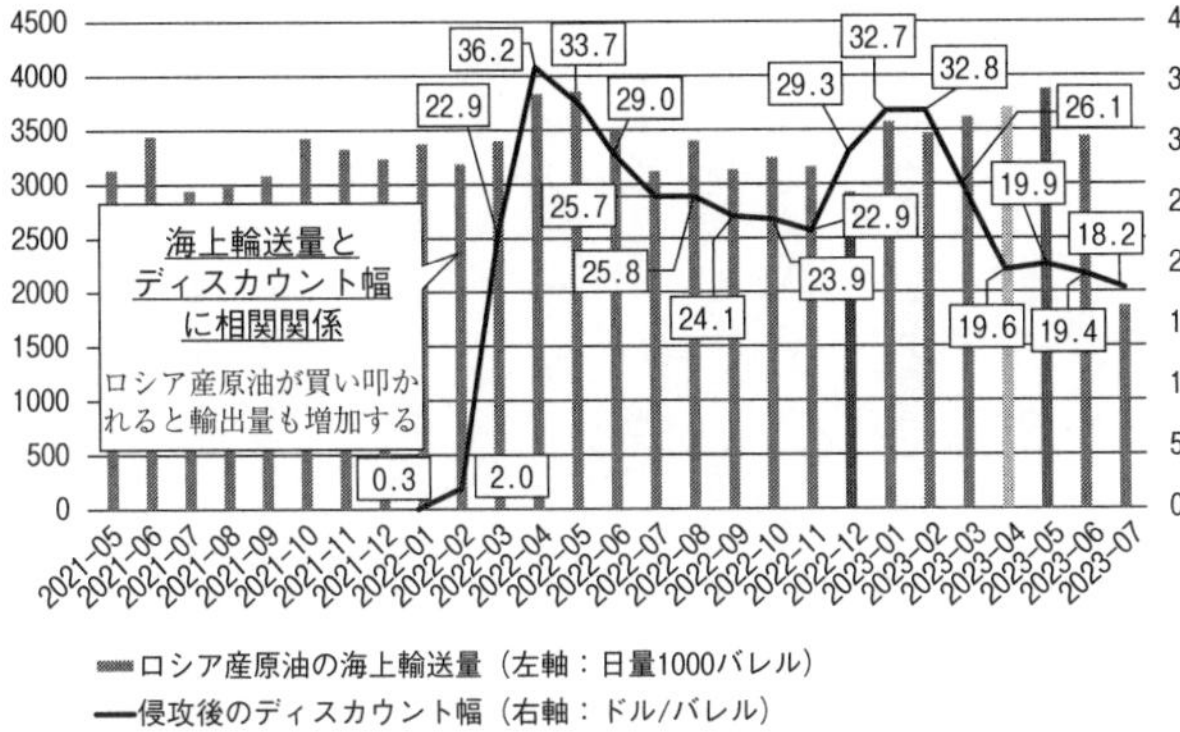

(出所：筆者とりまとめ)

図2-8　ロシア産原油の海上輸送量および侵攻後のロシア産原油のディスカウント幅の推移

ることは中国、インド、トルコにとってもより歓迎するべきことである。

これにより、プライスキャップはロシア政府の歳入を抑制し、さらに市場への供給は継続させるという相反する目的を達成している。実際、ロシア産原油の輸出量とディスカウント幅の推移には相関関係が見られており、ディスカウント幅が大きくなれば、その安い原油に買いが集まり、ロシア産原油の輸出量は増加してきた。2022年12月の石油禁輸と価格上限設定措置の発動によって、制裁リスクが高まるという材料を得た「友好国」は、ロシアの石油会社が販売する原油を買い叩き、翌月には30ドルを超えるディスカウントを勝ち取っていることが分かる（図2−8）。

この西側の措置に対し、驚くべきことにロ

シアは、すでに侵攻直後の2022年3月から国営保険会社への支援を中心に対策を練り始めていた。具体的には国営保険付保による海上輸送の確保と「影の船団」（西側制裁当局からの見方で制裁対象国の石油の海上輸送を請け負うことで利ざやを稼ぐ不特定多数の船のことをいう）を組織することによる独自の輸送フローの創出である。

確かにこれらフローの拡大によって、価格上限措置を気にせずにロシア産石油を輸入する国と輸出量割合はある一定程度増えていくことが予想される。しかし、それによってこの措置が無効になるわけではない。なぜなら、ロシアが自ら創出せざるを得ない国営保険や「影の船団」のための中古タンカーの買い漁りも、ロシアにとっては巨額のコストだからである。「影の船団」の構築に対しては1兆ルーブル（約2兆円）を費やそうとしているとの情報もある。このような輸送にかかる費用を新たにロシアが自ら負担し、「友好国」へ配送費込みで届けざるを得ない状況に追い込まれているのである。

†プライスキャップの弱点とは

2023年3月からロシアは日量50万バレルの原油生産量減産を開始した。さらに、低迷する国際原油市況に対して、OPECプラスに参加する主要産油国も自主的減産の実施を打ち出している。その結果、原油価格は7月に入り上昇傾向にある。

価格上昇により国際市場価格が86ドルに達すると、ロシア産原油はディスカウント幅（過去平均バレル当たり26ドル）を差し引いても、欧米による価格上限措置の設定値である60ドルを超える可能性が出てくる。他方、価格上限の再検討においては、じつは上限を上げるという選択肢はなく、事実上60ドルを維持するか下げることしかできない。上限を引き上げることはロシアの歳入増加を是認することになってしまうからだ。これが、このプライスキャップが抱える弱点であり、ロシアが減産によって価格上昇を演出しようとする理由である。

原油価格が上昇し続け、ロシア産原油の販売価格が上限の60ドルを上回れば、欧米による海上輸送に関するサービスの提供が止まり、一時的にロシア産石油の輸出量に輸送のボトルネックが生じることが予想される。それがさらなる需給逼迫につながり、価格高騰に拍車をかける恐れがある。

†アメリカの期待に沿わない湾岸諸国

ロシアは国際原油価格を上昇させることで、ディスカウントされた価格を底上げし、収入を確保する目的で、国際石油市場に一時的に大規模な供給途絶を演出しようとしている。それに対して、即効性のある解決策となるのが、ロシア以外の産油国の供給増加であり、彼らの供給余力である。先に述べたように、主要産油国には現状日量700万バレル程度の追加供給能力があり、それは現在のロシアの原油輸出量（足元で日量500万バレル程度）を十分にカバーできる規模である。

ウクライナ戦争と欧米対露制裁を受けた地政学リスクの高まりから、原油価格が120ドル台を付けた2022年6月の段階では、サウジアラビアは欧米諸国による制裁でロシアの原油生産が大幅に落ち込んだ場合、増産の用意があると述べていた。史上最高値を記録するガソリン価格に頭を悩ませ、11月に中間選挙を控えていたバイデン政権にとっても、中東産油国の増産と国際石油市場の鎮静化は重要だった。

バイデン大統領は2022年7月13日〜16日の日程で中東歴訪に出発するが、その最大の目的がサウジアラビアをはじめとする中東産油国からの増産確約だった。しかし、サウジアラビアから確約を得ることはできず「手ぶら」での帰国となった。その直後にはプーチン大統領がムハンマド皇太子と電話会談し、OPECプラス枠組みにおける協力強化の重要性を巡って討議したほか、両国の貿易や経済関係の拡大、さらにはシリア情勢についても意見交換を行っており、米露首脳がサウジアラビアを取り込もうとしていることも浮き彫りとなった。

バイデン政権はサウジ訪問では増産に対するコミットメントは得られなかったが、8月

2日、国務省はサウジ・UAEへの武器売却（サウジアラビアに地対空ミサイルシステム「パトリオット」等30・5億ドル相当、UAEに高高度防衛ミサイル（THAAD）迎撃システム等22・5億ドル相当）を承認している。これは当初、増産に対する見返りであり、今後OPECプラス閣僚級会合において、さらなる増産に対する働きかけをサウジ、UAEに期待した動きと見えた。

しかし、その結果は米国の思惑とはことごとく反するものとなった。8月3日にはOPECプラスは増産を決定するも、その規模は史上最低の増産幅である日量10万バレルに留まり、9月5日にはその増産分を相殺する10万バレルの減産が発表された。そして、10月5日には世界経済の不透明感を理由に2022年11月〜2023年12月の原油生産目標を10月比で日量200万バレルも削減するという決定に至っている。

この発表を受け、米国議会では反OPEC法である「NOPEC法案」が提出され、OPEC盟主のサウジアラビアへの対抗措置を検討していることを明らかにしている。他方で、11月18日、2018年にトルコで殺害されたカショギ氏事件について、バイデン政権として、関与が疑われていたムハンマド皇太子は免責されるとの見解を裁判所に示した。これは皇太子が9月に首相に就任したため、国家元首は免責されるとの原則を適用したかたちだが、このタイミングでの判断は明らかにサウジアラビアに対する配慮と見られた。

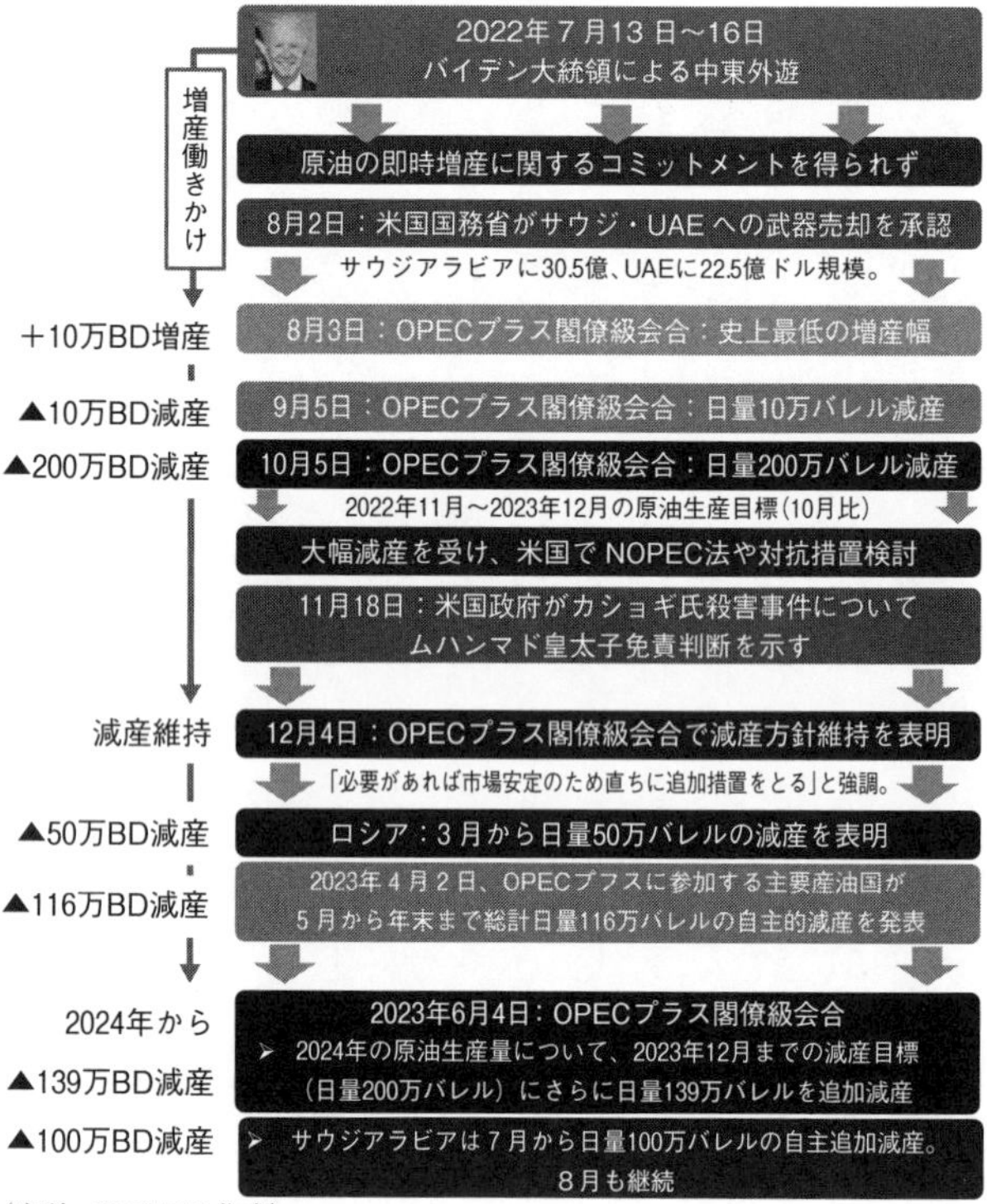

（出所：JOGMEC作成）

図２−９　バイデン大統領中東歴訪からこれまでのOPECプラス・サウジアラビアの動向

しかし、12月4日に開催されたＯＰＥＣプラス閣僚級会合でも、原油価格が下落基調にあり、中国をはじめとする世界経済の不透明感と景気減速による原油需要の鈍化を警戒し、10月に決定した協調減産（２０２３年12月までに10月比で日量２００万バレル減産）の維持を再確認するという結果となった。

年が明けた2月には、ロシアが西側諸国の石油禁輸措置への対抗として、3月から日量50万バレルの減産を発表した。原油価格が60ドル台に割り込む状況を受け、4月にはＯＰＥＣプラスの複数の国による自主的な追加減産（日量１１６万バレル）も発表された。これによって一時価格は80ドル台まで回復するが、米国の債務上限引き上げを巡るバイデン政権と連邦議会共和党との対立に加え、中国の経済減速と石油需要の伸びの鈍化懸念も市場で増大したことで、原油価格は再び下落し始めてしまう。このような状況下で開催された6月4日のＯＰＥＣプラス閣僚級会合では、２０２４年の原油生産量について、２０２３年12月までの減産目標（日量２００万バレル）にさらに日量１３９万バレルの追加減産を決定するとともに、サウジアラビアは7月にさらに日量１００万バレルの減産を表明したのである（図２-９、８月も継続）。

†ＯＰＥＣプラス立役者であるロシアへの義理

ＯＰＥＣプラス諸国による頑なな増産拒否・減産維持の背景には、確かに依然不透明な世界経済回復の見通しに対する慎重な姿勢がある。他方で、ロシアに対する義理もあるのだろう。そもそもＯＰＥＣプラス協調減産枠組みという試みはロシアという非ＯＰＥＣの大産油国が入らなければ実現できなかったからである。

この枠組みはサウジアラビアとロシアという世界最大の産油国のイニシアチブによって、２０１６年10月から始まった。しかし、新型コロナウィルスが世界で猛威をふるい始め、世界経済の鈍化がほぼ確実となった２０２０年３月、増産か減産かで意見が分かれる。さらにそれまで減産していたはずのロシアがじつは減産基準月を巧みに利用し、実際には増産してきたことへの不信感もあった。ロシアは２０１６年10月の協調減産開始から基準月では減産枠を遵守するも、年間平均では増産しており、２０１９年にはソ連時代を含め最大の生産量に達していたのである。そうした不満も拍車をかけ、結果、２０２０年３月、サウジアラビアとロシアの仲違いと増産志向の決定によって枠組みが崩壊し、翌月には米国の国際指標原油であるＷＴＩが史上初のマイナス40ドルを付け、他指標価格も10ドル台に落ち込むという大暴落を招くことになった。

このような中で、サウジアラビアとロシアは復縁し、史上最大規模の日量970万バレルの減産（サウジアラビアとロシアがその半分を割り当て）を行うことで合意した。その後、価格が持ち直し、現在に至っているのである。さらにロシアによるウクライナ侵攻は一時的に国際原油価格を急騰させ、10年ぶりの高水準を実現させたが、その恩恵はディスカウントされた価格でしか売れないロシアではなく、対岸にいる中東等、他の産油国が歳入の急増というかたちで享受している。OPECプラス成立および復活の立役者として、そして、原油価格高騰の立役者としてのロシアの存在は、これらOPEC産油国にとってはありがたいものであることは間違いない。

他方で、ディスカウントされたロシア産原油の市場への流入は、他産油国にとっては原油価格のダンピングであり、自らの市場へのロシア産原油の侵食が看過できないレベルに達していく可能性がある。また、ウクライナ戦争は脱ロシアを加速する大市場・欧州のロシア市場シェアを奪取する好機にも映るだろう。ロシアのOPECプラスの功績、サウジとの仲違いから原油価格が暴落したトラウマ、ロシアがウクライナ侵攻で演出した価格高騰の恩恵と、足元ではロシアとサウジアラビアを中心とするOPEC産油国は協力し合っているように見えるが、その関係は微妙なバランスのうえに成り立っており、いつでも変容する可能性もあると言えるだろう。

†撤退する欧米メジャーと残留する日本企業

ロシアによるウクライナ侵攻を受け、ロシアで活動する外国企業はレピュテーション（評判）・リスクの回避を主目的に撤退する企業と、戦況を見つつ残留することを選ぶ企業に分かれた。欧米石油メジャーでは前者はロスネフチの大株主であるBP、サハリン1のオペレータであるエクソンモービル、サハリン2のシェル等が挙げられる。後者ではロシア第2位の天然ガス生産を誇るNOVATEKの大株主であるフランスのトタル（現トタルエナジーズ）が代表であり、サハリン、東シベリアおよび北極圏に権益を有する日本政府および企業も後者を選んでいる。

このような中で、撤退しない企業に対して、なぜ残留するのか、なぜロシアを支援するようなことをするのかという意見が見受けられるようになった。確かに「撤退＝ロシアにダメージを与える」という図式は分かりやすいが、エネルギー資源、特にその上流産業や権益には当たらない概念である。なぜならば、上流権益を放棄し撤退することは、その残った権益をロシア政府が接収することを認めてしまうことになるからだ。その結果として西側外国企業が開発し、金の卵（資源＝利益）を生み出しているプロジェクトとその権益を、対露制裁を課す西側諸国を世界と分断するカードとして活用できるようにする状況を生み出してしまうのである。

BP、エクソンモービルおよびシェル等の撤退を選択した企業の判断は、ロシアに対する制裁にはなりえず、あくまで自社のレピュテーション・リスクと株価の下落回避を考慮したものであり、企業が自らの株価を守りたい、株主の利益を守りたいというある意味では利己的な動機が背景にある。また、これら企業はロシア事業でこれまで投下したコストの回収をすでに終えており、今ここで撤退したとしても損はないという判断も働いているだろう。NOVATEKに出資するトタルが撤退の判断をしないのは、同社社長が言うように、欧州へのLNGの安定供給を確保するという理由もあるが、出資したNOVATEK株式、ヤマルLNG、そして北極LNG－2等の各プロジェクトにおいて、まだコスト回収が終わっていないという事情もある。

重要な点として指摘しなければならないのは、企業としては自社の利益を追求するのは当然だが、これら撤退した欧米企業の姿勢には、需要者の視点、生産操業の維持による需要者への安定供給の観点が抜けているという点である。権益を手放せばロシア政府が接収し、「友好国」へ再配分するカードをプレゼントすることになるのも問題だが、ロシアにはない技術やノウハウを有するメジャー企業の撤退によって、それぞれのプロジェクトの操業が不安定になる可能性が高まる。生産停止にまで至れば、誰が最も影響を受けるかと言えば、そこから石油ガスを輸入している需要者であり市場、つまり、サハリンのプロジェクトであれば日本を中心としたアジア諸国となる。彼らの撤退の判断の中では、レピュテーション・リスクの回避と自社株価の維持だけが優先され、ロシアを利する「友好国」への権益の再配分問題やプロジェクトから生産される石油ガスを長年購入してきた需要者に対する配慮が抜け落ちてしまっている。

一方で、サハリン2に参画する三井物産と三菱商事、そして、サハリン1に参画する日本政府と企業から成るコンソーシアム（SODECO、サハリン石油ガス開発）は、ロシア政府が新たに設立した新ロシア法人に残り、権益を維持するという姿勢を明確にした。両プロジェクトともコスト回収はすでに終わっており、シェルやエクソンモービルのように企業判断として撤退が検討されてもおかしくなかったはずだが、最終的に事業に残る判断がなされたのは、需要者の視点、安定供給の使命といった観点の重要性が認識されていたためだろう。これは、権益を譲渡してしまうことで結果的にロシアを利することを回避し、日本のエネルギー安全保障の確保も実現しようとする適切かつ正しい判断であったと言える。

†ロシアが今恐れていること

これまで見てきたように、「前例なき」対露制裁では、ロシア財政の要である石油禁輸に踏み込んだ。その前から制裁リスクによってロシア産石油は大幅な値引きをしなくては売れない状況に陥っていた。さらに価格上限設定措置によって、「友好国」に対してロシア産石油を買い叩く材料を提供することで、世界を巻き込んでロシアに対する石油収入を抑制する方策に出ており、その効果が出始めている。

さらにロシアを窮地に陥れているのが、「ノルド・ストリーム」破壊工作と欧州というドル箱市場の喪失である。前述の通り、天然ガスについては供給余力を有するロシアに分があり、欧米諸国は制裁対象にできなかったにもかかわらず、今や天然ガスを輸送するインフラがなくなっただけでなく、ロシア産天然ガスとその輸送インフラはいつ狙われるか分からないという不安も蔓延《まんえん》し、ロシアのエネルギー供給者としての信頼も失われてしまった。自業自得と言えばそれまでだが、制裁対象の石油収入だけでなく、天然ガスにおいても収入が期待できない状況にある。

他方、欧米制裁では正式には発動されていない虎の子の施策が残っている。外国企業も対象とする二次制裁である。上限価格を遵守せずにロシア産石油を購入する第三国(インド、中国等)の企業を対象に、見せしめとして制裁対象に加え、ロシア産石油買い叩きを強制するか、またはロシア産石油を買わず、国際価格で他産油国から調達するのかを迫るものだ。このことは必然的にロシア産石油の市場流入を抑制し、国際価格の上昇に結び付くため、西側諸国も返り血を浴びる制裁となるが、ロシアの収入も激減していくことになる。

もう1つロシアが恐れているのは、OPECプラス諸国の離反である。二次制裁の発動によってロシア産石油が市場に流入しなくなることは、そのシェアを、OPECを中心とするその他産油国が奪うチャンスが訪れることを意味する。そのような事態では、国際原油価格は高止まりしていることが予想され、かつ世界市場の安定供給のための増産という大義名分の下で、その特需と利益を謳歌《おうか》することができる。

ロシアはプライスキャップの実装と変動する石油市場の中で、近い将来起こる可能性の高い二次制裁への拡大と、その連鎖としての他産油国によるロシア市場シェアの収奪の可能性を、今最も恐れていると言えるだろう。

第３章
制裁の応酬と加速する脱ロシア

2022年3月、ロシア下院で燃料エネルギー産業の現状について説明するノヴァク副首相
（出所：ロシア首相府）

2022年という年は、ロシアがソ連時代から築いてきた欧州、ひいては世界のエネルギー需給における安定供給者としての信頼をたった半年余りで失ってしまった年として、近代史に刻まれることになるだろう。

エネルギー市場には、今、ウクライナ侵攻に対して西側諸国が発動した対露制裁に対する対抗措置、すなわち、①欧州向けガス代金のルーブル支払いの強制、②「ノルド・ストリーム」送ガス量の一方的削減、③サハリン1および2各プロジェクト権益（株式）の新ロシア法人への移管という対抗策の発動によって、ロシアに対する拭いがたい不信が蔓延している。

これらロシアによる対西側カウンター制裁と呼べる措置は、ロシアからすれば対抗せざるを得ない状況に追い込まれたから講じざるを得なかったものであり、フォースマジュール（不可抗力）であるという主張も実際ロシア側からなされている。しかし、これらすべてに共通するのが、国際商慣行と契約で合意されたものを反故にしてしまったという重大な事象である。これまでロシア（ソ連）に対しては、外貨獲得と輸出収入の重要性から政治・外交では対立があろうと、商業契約は守るという「神話」があったし、それは2022年までは実際に堅く守られてきたのである。

契約を勝手に改変、反故にするようなことを一企業はもとより国主導で行えば、エネルギーの買い手はそのような相手からの調達を避けることになることは明らかであり、どのような長い信頼の実績があろうと、一度でも信用を失墜すれば、その回復には莫大な努力と多くの時間を費やさなければならない。

ロシアにとって、欧州市場は原油では輸出シェアの54％、天然ガスでは76％も占める重要な市場であり、第1章「それでも石油ガスは流れている」で触れたように、戦時下にあっても商業貿易は継続するという二面性の維持は成り立つにもかかわらず、ロシアはそのタブーに踏み込み、ソ連時代から長年培ってきた信頼とドル箱市場の双方を失うことになった。このことは、たった半年余りの間でそのような禁じ手に出なければならなかったほどロシアも追い詰められていたということも示唆している。

†ノヴァク副首相のタブー発言

商業契約を反故にすることも厭わないというロシア政府の姿勢は、侵攻直後の2022年3月8日から見られた。エネルギー大臣からエネルギー担当副首相へ昇格し、OPECプラス協調減産を中心にロシア政府のエネルギー分野を代表するスポークスマンであるノヴァク副首相が驚くべき発言を行ったのである。

彼は米英によるロシア産石油の禁輸措置を受けて、「ロシア産原油を拒否すれば、世界市場は壊滅的な打撃を受ける。予測もできないほどの原油高に見舞われる。欧州がロシアから輸入する原油の代替輸入源を探すには1年以上かかる。ロシアからのエネルギー供給を拒否するならすればよい。ロシアには代替輸出先がある。ロシアには「ノルド・ストリーム」を通した天然ガス供給の停止を決定する権利がある。EUに報復するかはロシア次第だ」と警告した。

もちろんこれは、米英の石油禁輸措置とそれが今後拡大していく可能性について思わず出た感情的な発言が外信によって配信されたものと推察されるが、沈着冷静で高い分析力とエネルギー業界への深い造詣を有するとも評価される同氏がロシアは経済原理・契約で守られたガス供給を政治的な理由で止めることができると公言したことは重要な意味と影響を持つ。

†ガス代金のルーブル支払い強制

2022年3月23日には、プーチン大統領がロシア産天然ガスを購入する非友好国の企業に対し、ルーブルでの支払いを求める方針を明らかにした。月末には、新たな大統領令「外国の購入者がロシアの天然ガス供給業者に対する義務を履行するための特別な手続きについて」（第172号）が発出され、4月1日以降に輸出される欧州向けパイプライン・ガスについて、ガス購入企業は大統領令で指定されたガスプロムバンクにルーブルと外貨の勘定を併せ持つ特別口座を開き、代金決済をする必要があるとされた。

これまで欧州のガス購入企業は外貨（ユーロまたはドル）でガスプロムが欧州各国金融機関に保有する口座等へ支払いを行っていた。それがこの大統領令によって、ロシア国内のガスプロムバンクにある自身の外貨建て特別口座に振り込みを行い、モスクワ証券取引所を通じて外貨を売却してルーブルを買い入れ、それをガス購入企業のルーブル建て特別口座に入金し、そこからガスプロムに代金を支払うこととなった。その監督としてロシア中央銀行がモスクワ証券取引所での外貨売却手順とルールを設定し、公表するとされた。つまり、欧州のガス購入企業にとっては代金の外貨払いの場所が実質ロシア国内に変更しただけであり（ガスプロムバンクはその重要性から、金融制裁からも除外されていた）、侵攻後暴落するルーブルを買い支えるためのロシア政府の施策という見方もできる。

他方、ロシア中銀が介在する取引に欧州のガス購入企業が関わることはEUをはじめ西側諸国が発動している同行への制裁に違反する問題を引き起こすことも、ルーブル支払い強制の背景要因にあったと考えられる。最終的にはEU当局は、ガス購入企業はガス代を支払うためのユーロ建て口座を開設し、契約上の義務完了を宣言するだけで、欧州の制裁に違反せずにガスを購入できるとするガイダンスを出し、欧州企業のほとんどがルーブル建て決済への移行に同意した。その一方で、ポーランドとブルガリアは既存契約の尊重とルーブル決済への移行の拒否によって、ロシア産ガスの供給を受け付けない道を選び、各国でも対応の違いが生じた。

†ガス版OPEC戦略とその破綻

次にロシアが目を付けたのが、ノヴァク副首相も警告した「ノルド・ストリーム」である。2022年6月14日、ガスプロムは突如同パイプライン経由でのドイツの輸出量を40%削減することを発表し、その理由として、独シーメンス社製のガス圧送用タービンが修理を行っているカナダから戻ってこないことによるやむを得ない措置だと主張した。翌15日にはさらに33%（年換算37BCM→25BCM）の追加削減も発表した。シーメンスは理由とされたタービン返却遅延による「ノルド・ストリーム」の供給減少について、稼働しているタービンは複数あり、修理対象となる1基だけでこれほど大量の輸送量の減少を説明できないと否定している。7月14日には、ガスプロムは欧州のガス購入企業への書簡で、6月14日からの供給削減についてフォースマジュール（不可抗力）を遡及的に宣言した。

ロシアの論点は、カナダで修理されたタービンをロシアが受け入れるには、カナダ、英国およびEUからも制裁を発動しないという保証を得ることが必要となるというもので、要は供給を再開してほしければ、現在発動している制裁を解除してロシアの要求に屈し、ロシア産エネルギーはウクライナ支援のための制裁発動より重要であると欧州側が示すことを暗に求めるものだった。

さらに8月19日、ガスプロムは急遽《きゅうきょ》、「ノルド・ストリーム」を8月31日から3日間のメンテナンス作業のため停止すると発表した。これを受けて、欧州天然ガス価格は26日に百万英国熱量単位当たりで99・5ドルという史上最高値を付けるまで急騰していく。ガスプロムはその理由として、ポルタヴァヤ・コンプレッサーステーションで使用されている6つのタービンのうち、1基のメンテナンス作業実施の必要性を挙げた。さらに、9月2日、ガスプロムのミレル社長は「西側諸国の制裁により、シーメンスが定期点検を行うことができていない」とし、ガス供給の再開見通しが立っていないことを明らかにした。

これに対して、シーメンスは「定期メンテナンスは制裁の対象から明確に除外されている。シーメンスのエンジニアは要請があれば、保守作業を行う用意がある」と反論している。9月4日、ロシア大統領府はガスプロムが「ノルド・ストリーム」を通じた欧州へのガス供給の再開期限を設定せず延期したことについて、欧州の対露制裁が同パイプラインの保守点検作業を阻害したとして、欧州を非難した。ペスコフ大統領府報道官は「欧州側が契約上の義務があるにもかかわらず設備の修理を拒否するというばかげた決定を下しても、ガスプロムの責任ではない。制裁を決定した政治家の責任だ」と述べている。ノヴァク副首相も「タービンが作動し続けるためには、シーメンスが保守点検に関する契約義務を果たす必要がある。契約上の修理義務に完全に違反しており、タービン輸送の条件も違反した」と語っている。これに対して、シーメンスは保守点検作業の委託は受けていないが、引き受けることはできるとコメントを出しており、双方の主張は食い違ったままだった。

　このように見てくると、タービンの修理を拒否しないドイツ（シーメンス）および西側と、当初は欧米制裁による手続き上の問題、そして、最後にはタービンの不具合を口実に「ノルド・ストリーム」を停止させることに主眼を置いたロシア側（ロシア政府・ガスプロム）という構図が見えてくる。

　ロシア側の目的は、冬場に向けてガス貯蔵を進める欧州に対して、その大供給源である「ノルド・ストリーム」を止めることによって危機感とガス価格高騰による揺さぶりをかけることにあったと考えられる。

　このようなロシアの戦法は、供給調整という点においては供給余力がある産油国が形成するＯＰＥＣによる市場への影響力の行使と類似しており、天然ガスにおいては足元ではロシアからのパイプライン輸出しか供給余力が存在しないことを利用した「一国ガス版OPEC」戦略とも言えるものだ。しかしそこには、天然ガスを生産できるのはロシアだけでなく、今後数年はかかるものの、ロシアの輸出量を代替するプロジェクトが他産油国で立ち上がること（後述、表3－1）、そして複数の国が連帯し供給制限を行うOPECと異なり、たった一国でその国の都合で契約上決められた内容を破棄し、供給制限を行えば、そのような国の信用は失墜し、そのガスはこれまでのように市場では売れなくなるという落とし穴がある。信頼の挽回には長期間を要するとともに、買い手にとって優位な条件（市場より安価なガス供給）を提示することも迫られることになる。

そして、このロシアの計画そのものを破綻させたのが、タービン問題によって「ノルド・ストリーム」を完全停止した3週間後の9月26日に生じた決定的な事象、すなわち、第1章で取り上げた「ノルド・ストリーム」および「ノルド・ストリーム2」の破壊工作である。この事件は、世界で唯一供給余力を持つというロシアの利点を大きく毀損しただけでなく、買い手である欧州にとってはロシア産天然ガスの安全保障上のリスクに対する認識を高め、長期間にわたって、ロシア自身の対欧州戦略をも制約することになったのである。

†ロシアの誤算――加速する脱ロシア

ロシアによるウクライナ侵攻後、対露制裁に対する対抗として、ロシアが踏み込んだこれらタブーは、欧州によるロシアへの信頼失墜とロシア産エネルギーを代替する動き、「脱ロシア」を加速させてしまった。ソ連時代に建設された長大なインフラを有し、欧州に対して最も安価な石油天然ガスを供給できるロシアはこれまで、欧州がそのような利点を捨てて、ロシアというエネルギー供給者を排除するという激しい痛みを伴う政策をとることはできないと考えていた節がある。

2022年4月14日、プーチン大統領は「欧州諸国が即時にロシア産ガスを完全に切り捨てることはできない。非友好国はロシア産エネルギーなしではやっていけないと認めている。現時点で欧州には合理的な天然ガスの代替品は存在しない」と言明しているが、ここにもそうした考えを垣間見ることができる。確かに欧州に対して安定的かつ経済合理性の高い石油天然ガスを供給できる有力な国は、インフラで結ばれたロシアが筆頭にあることは明らかだが、そのロシアが契約反故・不履行というタブーに踏み込んだ結果、欧州によるロシア産エネルギーの代替という原動力に火を付けることになった。

はたして、欧州はロシア産エネルギー依存から脱却できるのだろうか。2022年3月

8日、欧州委員会は天然ガスを皮切りに、欧州をロシア産化石燃料依存から独立させるべく、①エネルギー価格の高騰および需給逼迫への短期的な対応策、②ロシア産化石燃料への依存からの脱却を2本柱とする政策コミュニケ、いわゆる「REPowerEU」を発表した。それに先立って、3月3日にはIEAが欧州委員会への提言として、EUのロシアの天然ガス輸入への依存を1年間で3分の1以上減らすための次の10ポイントを発表しており、欧州委員会のこの動きの起点ともなっている。

①ロシアとの新しいガス契約に署名しない（2022年末までに最低15BCM分の契約が失効）
②他の供給源からのガス供給を最大化する（最大10BCM）
③ガス貯蔵の最低義務の導入（10月1日までに最低在庫レベル90％を達成する必要）
④新たな太陽光と風力プロジェクトの展開加速（6BCM削減）
⑤バイオマス・原子力等既存の低排出エネルギー源を最大限に活用する（13BCM削減）
⑥電力高価格からの消費者の保護措置
⑦天然ガスボイラーをヒートポンプへ転換加速（2BCM削減）

⑧建物・産業でのエネルギー効率対策を強化する（1～2BCM削減）
⑨市民に自宅の熱暖房を1度下げるよう要請（10BCM削減）
⑩電力システムの柔軟性、ソースの多様化および脱炭素取り組み強化

これによりロシアからの天然ガス輸入について2022年中に3分の1程度（参考としてロシアからの輸入量は155BCM）を削減できるとするものだった。ビロルIEA事務局長は「もはや誰も幻想に陥っていない。ロシアが天然ガス資源を経済的・政治的武器として使用していることは、2022年の冬にロシアのガス供給に関するかなりの不確実性に直面する準備をするために、ヨーロッパが迅速に行動する必要があることを示している」と述べ、可及的速やかな対応が必要であると述べた。このIEAの10ポイント案をバックボーンとして、3月8日に欧州委員会が発表した政策コミュニケが「REPowerEU」である（写真3-1）。それは大きく次の4つの要点から成っている。

①**年末までにロシア産天然ガスに対する欧州需要を3分の2削減する**（注：IEA案は3分の1）。
②毎年10月1日までにEU全体の地下ガス貯蔵をその容量の少なくとも90%まで満た

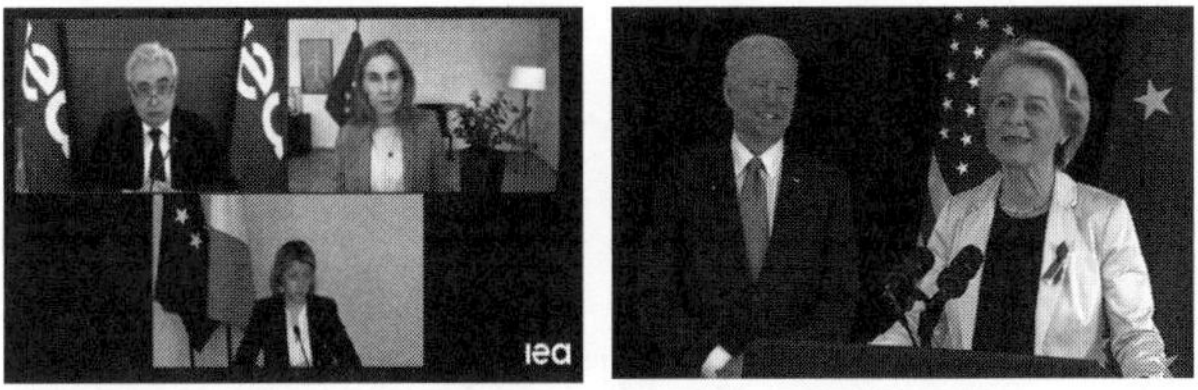

写真3-1　IEAによる欧州委員会への10ポイント提言（左）と、米国と欧州委員会によるエネルギー安全保障に関する共同声明発表（出所：IEAによるウェビナーおよび欧州委員会）

すことを要求する立法案を4月までに提示。

③事業者、特にガスプロムによる独占・不公正競争に対する懸念に応え、調査を継続。

④**2030年以前にロシア産化石燃料への依存を排除すべく、**「REPowerEU」計画策定を提案。

——ロシア以外の供給者からのより多くのLNGとパイプライン・ガスの輸入

——大規模なバイオメタンおよびグリーン水素の生産および輸入

そして、さらにその後、欧州委員会は3月25日に米国とエネルギー安全保障に関する共同声明を発表した。それは次の3つの柱から成っている。

①欧州のエネルギー安全保障確保を促進する共同タスクフォースを設立。

②米国が２０２２年末までに少なくとも15ＢＣＭのＬＮＧを追加でＥＵに供給。
③ＥＵのロシア依存脱却に向けた戦略（＝「REPowerEU」、**２０２７年までにロシアの化石燃料への依存脱却**）**の実現**に向け、米国からのさらなるＥＵ向けＬＮＧ供給拡大に取り組む。

このようにウクライナ侵攻から１か月弱、３月３日から25日までの３週間余りの間に、ロシア産化石燃料の依存軽減の議論について、欧州委員会では、

①年内の削減目標拡大：３分の１→３分の２
②依存脱却のタイミングの前倒し：２０３０年以前→２０２７年

と次第に強化されてきた。政策コミュニケは法的効力は発生しないガイドラインとしての位置づけであり、今後その具体的な方策についての議論や加盟国との調整が始まっていくものだが、ウクライナ情勢が欧州委員会をしてロシア離れを加速させ、積極的にその道筋を示そうとしているこれらの動きは、ロシア依存からの脱却を強固に進めていくことを確信させるものであった。

それを牽引するかのように、欧州最大のエネルギー需要国であるドイツは、ハーベック経済・気候保護相がロシア産化石燃料の輸入を削減し、2024年半ばまでに同国産ガスへの依存からほぼ完全に脱却する計画について明らかにした。また、時を同じくしてドイツの電力最大手エーオンのバーンバウムCEOは、ドイツがロシア産ガスへの依存から脱却するには3年かかるとの見方を示している。ロシア産ガスの供給が途絶えれば、ドイツ経済は「甚大な損害をこうむることになり、どんな方法であれそうした状況を回避すべきだ」とも語っているが、驚くべきは最大の需要国でロシア産ガスへの依存度が高いドイツでさえ、即時脱却はできないにしても、3年という短期間で可能であるという見方を示していることであろう。

実際、短期的な天然ガス需給見通しを見ると、2024年から2027年にかけて、新規のLNGプロジェクトが北米、カタール、アフリカで立ち上がる。その積算合計は日本のLNG需要量の2倍に匹敵する1・5億トン（LNG換算、204BCM相当）、うちロシアのプロジェクトである北極LNG－2を除いても1・3億トン以上と見積もられ、ロシアの天然ガス輸出量を超える規模である（表3－1）。受入れターミナルの問題はあるものの、欧州のロシアガス代替は不可能ではない。他方で、それまではロシア産ガスの不在・不足によって今後数年にわたって、欧州ガス市場は綱渡りが続くことが予想される。

表３－１　最終投資決定（FID）を終えている新規
LNG プロジェクトの短期的生産開始見通し

プロジェクト名	国	FID	生産開始	年産能力（万トン）
Tangguh-Train3	インドネシア	2016年７月	2023年 Q4	480
Tortue FLNG	モーリタニア・セネガル	2018年12月	2023年 Q4	250
LNG Canada	カナダ	2018年10月	2025年	1,400
北極 LNG-2	ロシア	2019年９月	2023～26年	1,980
Golden Pass LNG	米国	2019年２月	2024年	1,810
Mozambique LNG (Areal)	モザンビーク	2019年６月	2026年	1,288
NLNG-Train7	ナイジェリア	2019年12月	2024年	420
Energía Costa Azul LNG	メキシコ	2020年11月	2024年 H2	325
North Field East expansion	カタール	2021年２月	2025年 Q4	3,200
Plaquemines LNG 2nd Phase	米国	2023年３月	－	2,000
Corpus Christi Stage3	米国	2022年６月	2025年末	925
Gabon LNG	ガボン	2023年２月	2026年	70
Port Arthur LNG	米国	2023年３月	2027年	1,300
合計				1.54億トン

（出所：JOGMEC）

２０２２年から２０２３年の冬は暖冬に助けられたが、ガス需要が高まる冬季には一層の節ガスが求められ、寒波が押し寄せれば価格が乱高下するリスクにさらされるだろう。

デュアル・サプライ体制を実現したドイツ

ドイツは２０２２年12月、ついに同国北西岸ウィルヘルムスハーフェンで初めてとなる浮体式ＬＮＧ貯蔵・再ガス化ターミナル（ＦＳＲＵ：Floating Storage and Regasification Unit と呼ばれる）を開業した。船体を繋留し、陸上施設と結ぶことでＬＮＧの受入れが可能となるＦＳＲＵという形態が、迅速なＬＮＧ輸入を可能にしたのだった。

天然ガスの輸入インフラは、これまでのドイツのようにパイプラインだけに依存するものと日本のように海上輸送でのLNGのみに依存するもの、中国のようにパイプラインおよびLNGで輸入するデュアル・サプライ体制を持つものに分かれる。供給方法が多様化されている中国のような形態がエネルギー安全保障を高めることは言うまでもない。

ドイツも日本もそのような体制を構築する可能性はあったが、すでにインフラがあることや地理的な状況、経済優位性から、ドイツはパイプライン、日本はLNGでの輸入体制を構築してきた。そこにロシアのウクライナ侵攻と欧州の脱ロシアという外圧が加わり、ドイツはじつに10か月に満たずにデュアル・サプライ体制を確立し始めたことになる。ウィルヘルムスハーフェンに続き、2023年1月にはドイツ北東部、「ノルド・ストリーム」が揚陸する場所のルブミンにも民間主導のFSRUが立ち上げられ、さらに3月には北部ブルンスビュッテルにも受入れターミナルが立ち上げられた。

ウィルヘルムスハーフェンFSRUのLNG受入能力は最大で年間7・5BCM、ルブミンFSRUは同5・2BCM、そして、ブルンスビュッテル（エルベハーフェン）FSRUは同3・5BCMであり、合計で16・2BCMと、ドイツの2022年の年間ガス需要（80BCM）の約20％、「ノルド・ストリーム」の輸送設計容量（55BCM）の29％に当たる規模である。

これらに加えて、ドイツで現在検討されている追加のプロジェクトも目白押しだ。これら3プロジェクトの拡張のほか、2023年末までにエルベ川沿いに新たなシュターデFSRUも計画されている。ドイツはLNG輸入能力を2023年末までに約30BCMとすることを目指しているが、これらの計画によるドイツのLNG輸入能力は2024年には少なくとも年間36BCMに達するだろう。市場で十分な量のLNGを確保することさえできれば、同国のガス需要の約半分がカバーできるようになる見通しである（図3－1）。

ドイツには確かにロシアのウクライナ侵攻前からLNG受入れ計画が存在してきた。欧州の脱炭素の流れをうけて、今回LNGターミナルが稼働したウィルヘルムスハーフェン・プロジェクトは侵攻直前にはLNGではなく、水素生産ハブに計画を変えたばかりだった。

ロシアもまた、2035年までに世界最大の日本のLNG需要量の2倍に当たる1・4億トンものLNG輸出を目指す計画を2021年3月に発表しており、ドイツに対するLNG供給も視野に入っていたのだろう。しかし、ウクライナ侵攻後、ブチャでの虐殺事件を受けて2022年4月に発動された欧州制裁にLNG機器の禁輸が盛り込まれたことで、その目論見は外れようとしている。

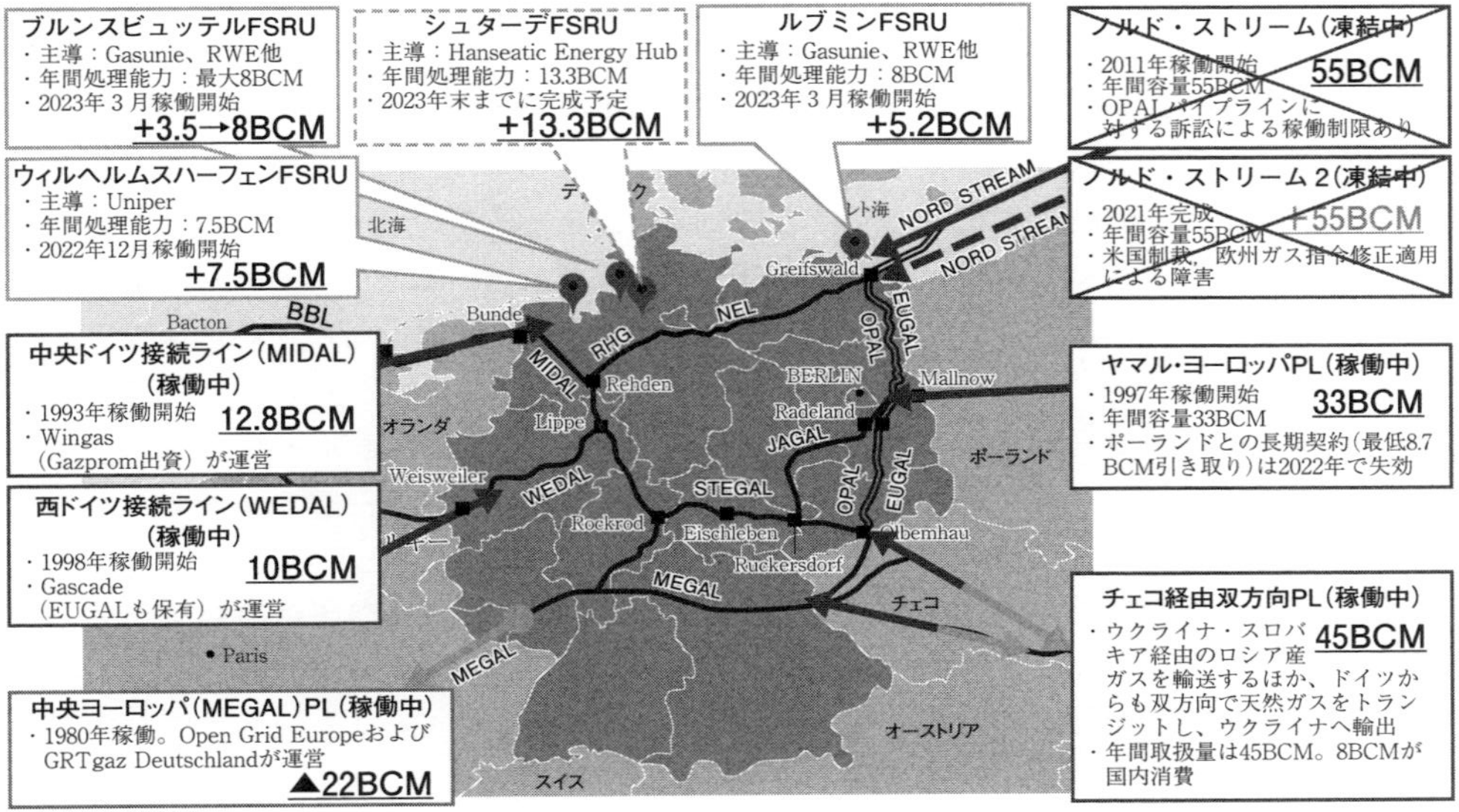

図3－1　ドイツの天然ガス輸入インフラの現状（出所：公開情報から筆者作成）

✝奔走するロシア

欧州の脱ロシア加速という誤算によって深刻な痛手を負うロシアは、欧州市場を代替すべく奔走し始めている。

トルコを新たな天然ガス輸出のハブにする構想や、中央アジア諸国（カザフスタンおよびウズベキスタン）の国内市場への供給、そして、ついにはトルクメニスタンが長年掲げているインドへの輸出パイプラインであるTAPI（トルクメニスタン～アフガニスタン～パキスタン～インド）構想にも触手を伸ばす勢いであり、その落穂拾いの様相はロシア政府の焦燥感すら感じさせる。

大本命はもちろん中国である。プーチン大統領は「数年のうちに石油ガスの供給先を西側から有望なエリアの市場に振り向けることを可能にする関連インフラ建設プロジェクト、すなわち、鉄道、パイプライン、港湾関連プロジェクトの実現を加速させる必要がある」と述べ、政府に指示を出した。対象となるプロジェクトの中には当然ながら、欧州市場へのガス供給源である西シベリアからモンゴルを経由して確実な需要増加が見込める中国を結ぶ新たなパイプライン「シベリアの力2」も含まれている。

ロシアでは原油パイプラインや鉄道は東西がすでに接続されているが、天然ガスインフラは依然として西シベリアと東シベリアの間は接続されておらず、分断されたままである（図3－2）。問題は新たなインフラ・プロジェクトに多大な建設コストがかかるのはもちろんのこと、供給源の多様化に成功している中国が「シベリアの力」同様に買い叩く可能性があること、なかでも最大の問題は中国にそれだけの市場があるのかどうかという不安定要素をはらんでいることだ。

†歴史は繰り返す——対中パイプライン再び

「歴史は繰り返す」という言葉が頭をよぎる。2014年3月のクリミア併合直後の5月に7年越しの交渉を経て合意に至ったのが「シベリアの力」（2019年12月稼働）であった。しかし、中国はそれまでにロシア産天然ガスに頼らないで済む状況を創り出していた。

2009年にトルクメニスタンをはじめとする中央アジア諸国からきわめて有利な条件で天然ガスを調達することに成功し（年間30BCM）、2013年からはミャンマーからパイプラインでのガス輸入が始まり（同12BCM）、さらにLNG分野で世界の上流プロジェクトに進出しているのに加え（輸入量は年間73BCMに上る）、IEAの見通しによれば、国内ガス生産も今後堅調に増大していく。それだけではない。中国はガスプロムとの長期天然ガス供給契約に合意する直前の2014年1月には、NOVATEKが進めるヤマルL

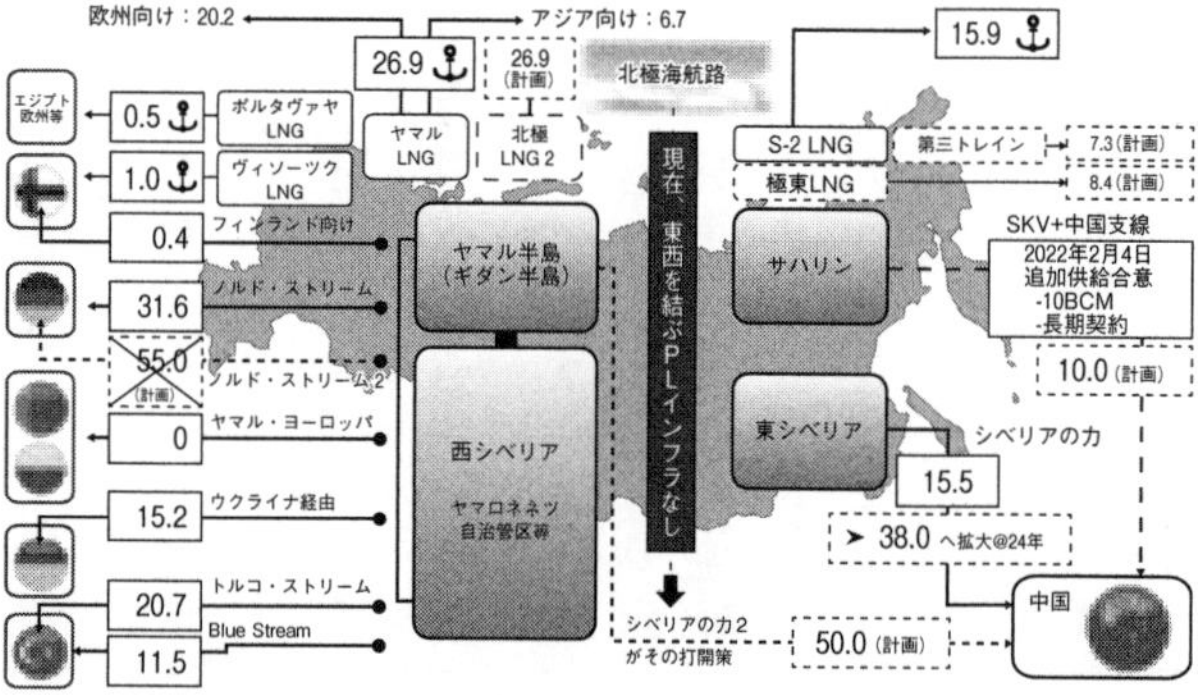

BCM	2021年	2022年	増減率
西方フロー			
ヴィソーツクLNG	1.1	1	▲9%
ポルタヴァヤLNG	0	0.5	50万t増加
ヤマルLNG（西方向け）	18.1	20.2	12%
フィンランド向けPL	1.5	0.4	▲73%
ノルド・ストリーム	59.2	31.6	▲47%
ヤマル・ヨーロッパPL	31.4	0	輸送停止
ウクライナ経由PL	25.9	15.2	▲41%
トルコ・ストリーム（トルコ向け）	10.2	9.1	▲11%
トルコ・ストリーム（EU向け）	4.6	11.6	152%
Blue Stream	16	11.5	▲28%
合計	168	101.1	▲40%
東方フロー			
S-2 LNG	14.4	15.9	10%
ヤマルLNG（東方向け）	7.7	6.7	▲13%
シベリアの力PL	10.4	15.5	49%
合計	32.5	38.1	17%
パイプライン	159.2	94.9	▲40%
LNG	41.3	44.3	7%
合計	200.5	139.2	▲31%

（出所：公開情報から筆者とりまとめ）

図3-2　ロシアの天然ガス輸出インフラ（LNGおよびパイプライン）と実績（単位：年間BCM）

NGプロジェクトに20％（シルクロード基金を加えれば29・9％）参画し、2019年4月には三大中国国営石油ガス会社のうちの2社であるCNPCおよびCNOOCと北極LNG－2プロジェクトに各10％出資することで、ロシアにおけるガス上流権益を獲得している。

すなわち、中国はこの長期供給契約に合意する前にロシアの天然ガスを買い叩くべく、さまざまな供給ルートからの天然ガス調達を実現しているだけでなく、同じロシア産のガスについても上流にも参画しながら、パイプラインで供給するガスプロムとは異なる会社（NOVATEK）かつLNGでの価格と比較可能なポジションに付けていた。

2014年5月、長年交渉が停滞していた中露天然ガス長期売買契約について、ロシアが中国と合意することができた背景には、交渉ポジションが弱く、さらに欧米制裁によって孤立し始めていたロシアが契約条件において譲歩したことが最大の要因であると考えられる。その譲歩の内容は契約価格の実績に端的に見いだすことができる。図3－3は中国の海外からの天然ガス輸入価格の過去10年余りの推移である。左にパイプライン（PL）輸入価格、右にLNG輸入価格を示しているが、この中で最も安い価格を示しているのが、2019年から稼働を開始したロシアからのパイプライン・ガス（「シベリアの力」、図中は左図の丸い囲み内）であることが分かる。その価格は、対中LNG平均価格（10・10ドル、

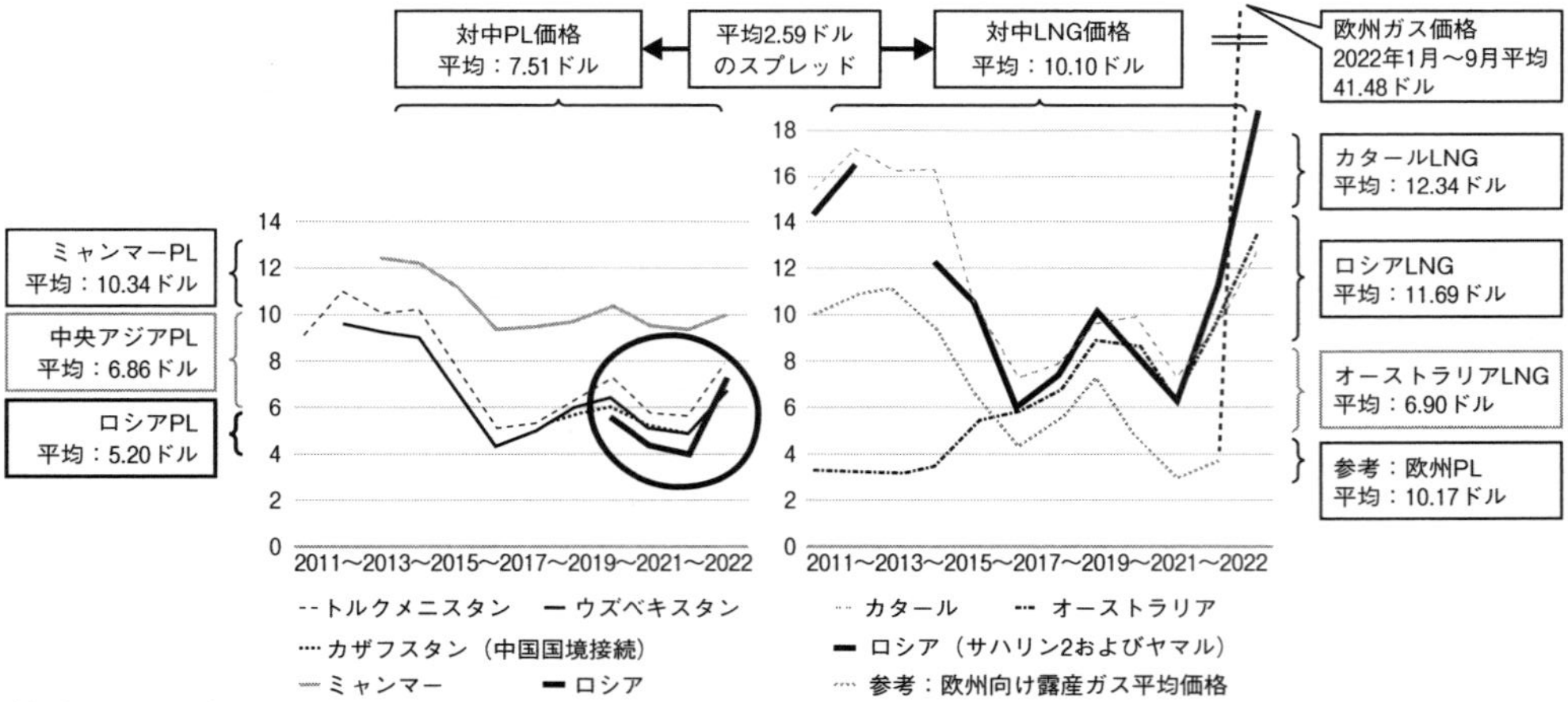

（出所：JOGMEC）

図3－3　「シベリアの力」稼働前と稼働後の対中天然ガス価格の推移（単位：ドル／百万BTU）

百万BTU）の半額程度（5・20ドル）という安さになっている。

図3－4は供給サイドから見た場合に、単純に欧州へのロシア産ガスの過去の年間輸出量である155BCM（パイプライン＋LNG、トルコ向けや欧州トランジットでのLNGを加えると194BCMへ増加）を、今後需要増加が見込まれる中国およびインドについて既存分はそのままに、追加需要分を対象として検討したものである。

欧州がロシアに対するLNG機器禁輸措置を発動した結果、ロシアで新規のLNGプロジェクトが立ち上がるハードルはきわめて高くなった。したがって、パイプラインのない、LNGによる海上輸送が前提となるインドはまず除外されることになる。それでもインドのLNG輸入見込みは全量で43BCM（2030年）に過ぎない。そうするとパイプラインで輸出できる中国だけが対象となるが、中国国内生産を考慮し、2030年時点で中国が外国から輸入するパイプライン・ガス（35BCM）およびLNG（30BCM）の合計は65BCMとなる。LNGがインド同様に輸出できない想定に立てば、価格値下げ攻勢で中国の最大需要35BCMを確保したとしても、欧州へ輸出量実績の23％程度にしかならない。

むろん「シベリアの力2」の枠内で東シベリアの大都市のガス化が行われる予定となっており、ロシア国内のガス消費量が増加する可能性はある。しかし、国内では統制価格が適用されており、国内市場での販売が増えても、欧州向けガス輸出の縮小に伴う収入の減

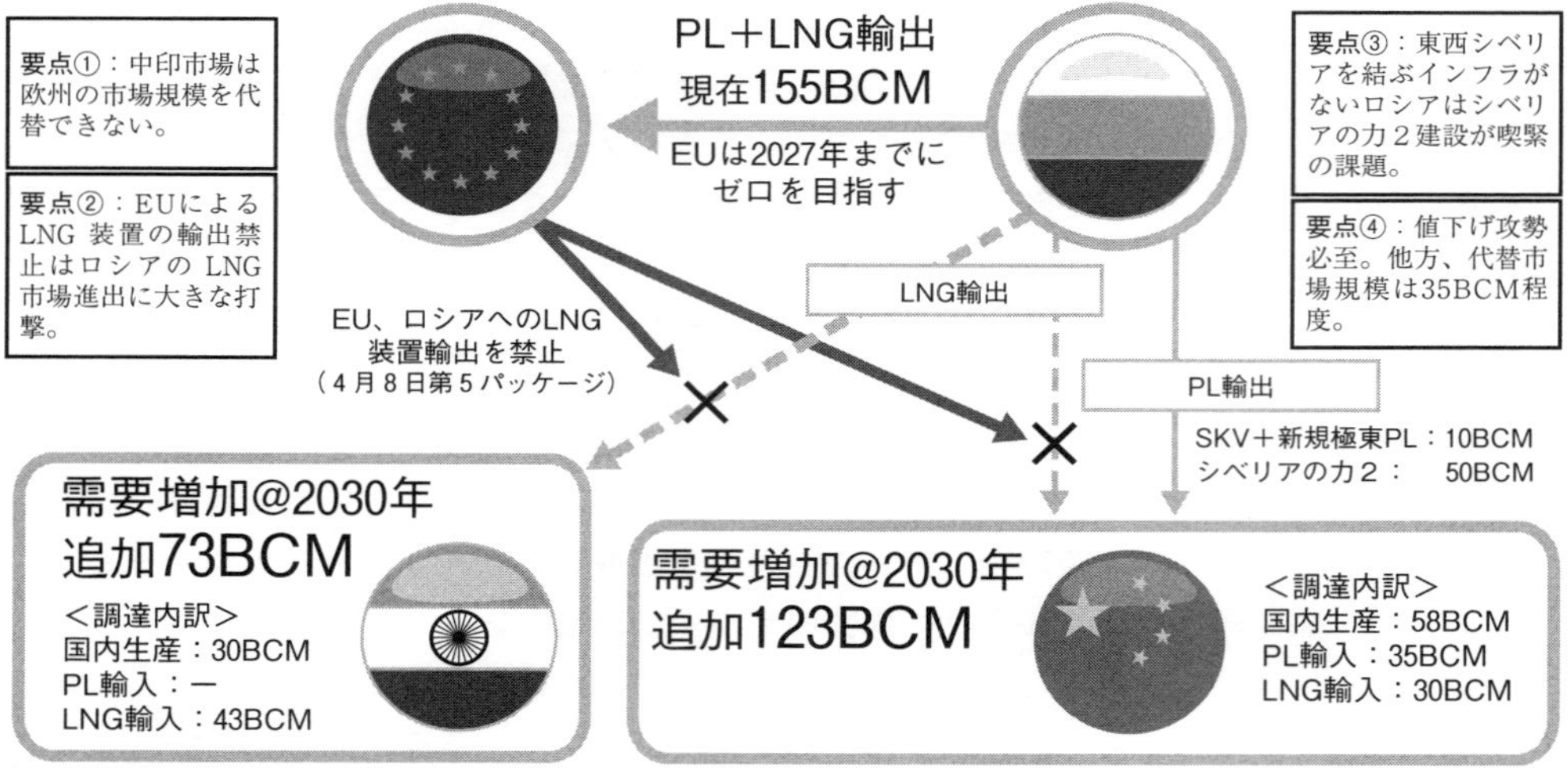
要点①：中印市場は欧州の市場規模を代替できない。
要点②：EUによるLNG 装置の輸出禁止はロシアの LNG市場進出に大きな打撃。
PL＋LNG輸出
現在155BCM
EUは2027年までにゼロを目指す
要点③：東西シベリアを結ぶインフラがないロシアはシベリアの力２建設が喫緊の課題。
要点④：値下げ攻勢必至。他方、代替市場規模は35BCM程度。
EU、ロシアへのLNG装置輸出を禁止
（４月８日第５パッケージ）
LNG輸出
PL輸出
SKV＋新規極東PL：10BCM
シベリアの力２：　50BCM
需要増加@2030年
追加73BCM
<調達内訳>
国内生産：30BCM
PL輸入：ー
LNG輸入：43BCM
需要増加@2030年
追加123BCM
<調達内訳>
国内生産：58BCM
PL輸入：35BCM
LNG輸入：30BCM
（出所：JOGMEC）

図３-４　中国・インドはロシアにとっての欧州市場の代替となりうるか

少をカバーすることはできない。また、「シベリアの力」に匹敵する規模のパイプラインの建設には5年程度が想定されていることは先述の通りである。現在の計画（モンゴル政府発表）では２０２４年に建設開始であるから、稼働は２０２９年頃となり、稼働開始後、目標輸出量を達成するにはさらに数年を要することになるだろう。

今は買うべきときではない

もちろんこれらは欧州が本当にロシア産天然ガスを買わないという仮説（本章「ロシアの誤算」参照）を前提にしたものであり、そこには段階的な廃止や加盟国による対応の違い、ウクライナ危機の終息による対応の変化は織り込まれていない。他方、他にも供給ソースを有する需要サイドの視点からは、ロシアがいかに安価な天然ガスを供給するのかという点が、ロシア産天然ガスを選択する際の鍵となってくる。つまり、ロシアは一部欧州市場を代替できるかもしれないが、単純にその他の天然ガス需要新興国に代替されるわけでもなく、さらに確保できた市場シェアでも安価なガス価格での販売を強いられる可能性が高いと言えるだろう。

２０２３年3月20日、中国の習近平国家主席は政権第3期目を迎え、その最初の外遊先にロシアを選んだ。欧米制裁で疲弊しだしたロシアにしてみれば、習近平訪露は世界に対して、ロシアは孤立していないことを知らしめる絶好の機会となるはずだった。

ロシアは習近平主席から3つのお土産を期待していたに違いない。すなわち、①ウクライナ東部4州のロシアへの帰属承認、②武器または半導体等、欧米制裁で不足している物資の供給、そして、③欧州代替を成立させる「シベリアの力2」による長期天然ガス供給契約での合意、である。これらはすべてハードルの高いものばかりであり、この中の1つでも成立すれば、ロシアとしては大満足なはずだった。だが、公開情報からはこれらはいずれも成就しなかった。②武器供与については何らかの進展があったと推察する専門家もいるが、6月にブリンケン米国国務長官が訪中した際には、この点について釘を刺し、中国はロシアに対して、殺傷兵器の提供をしていないし、今後もしないと明言したことを明らかにしている。

中国にしてみれば、ウクライナ侵攻については国連決議でも世界の大多数の国が反対を表明しており、そうした中でロシアの肩を持つことは世界から反感を買い、欧米諸国も中国に対する敵対を強めることになることは明らかであった。また天然ガスについても需給は満たされており、わざわざ今5年後の天然ガス調達に動き、ロシアへの依存度を高める必要はない。待っていれば、いずれロシアは追い詰められ、さらにガス価格を値下げしなければならないことも明らかであり、今は買うべきときではないという判断が働いたのだろう。

†欧州が盛り込んだＬＮＧ機器禁輸の不可解

ブチャでの虐殺事件を受け4月8日に発動されたＥＵ制裁第5パッケージには、目玉となった石炭禁輸措置の陰で、きわめて重要な輸出管理規制（禁輸）が盛り込まれていた。先にも触れたＬＮＧ関連6製品（液化技術を含む資機材）である。

欧米企業が特許を有し、ロシアではまだ黎明《れいめい》期のＬＮＧ技術が制裁対象となれば、ロシア政府が目指す2035年に向けたＬＮＧ拡張計画が大きく狂うことは確実となる。それは将来の話だけでなく、ドイツのLinde社の技術を採用している日本政府・企業も出資する北極ＬＮＧ－2（年間ＬＮＧ生産量1980万トン）およびバルト海ウスチ・ルーガＬＮＧ（同1300万トン）プロジェクトにもすでに直接の影響を及ぼしている。

ロシアは2019年時点で中規模・大規模ＬＮＧプラントで使用する極低温熱交換器の100％、極低温ポンプの95％を輸入に依存しており、ＥＵの制裁では2022年2月26日より前に締結された契約は2022年5月27日までにウィンドフォール（猶予）期間が1か月余り設けられていた。しかし、北極ＬＮＧ－2については、3つ建造される液化系列（トレイン）のうち、1トレインしか設備の調達はできていない。ウスチ・ルーガＬＮ

表3－2　ロシア産LNGの供給国別シェア（2022年）

日本	21%	インドネシア	0.7%
中国	18%	ポルトガル	0.7%
フランス	16%	フィンランド	0.6%
ベルギー	11%	ギリシア	0.4%
スペイン	11%	クウェート	0.4%
韓国	6%	イタリア	0.4%
オランダ	5%	スウェーデン	0.2%
台湾	3%	タイ	0.2%
英国	1.1%	リトアニア	0.2%
トルコ	0.9%	ノルウェー	0.04%
インド	0.9%		

（出所：JOGMEC）

Gに至っては調達の目途すら立っていない状況に追い込まれている。

この制裁措置の影響は、ロシアの新規プロジェクトに留まらず、現在稼働しているプロジェクトについても、機器に不具合が生じ、そのストックがロシア国内にないという事態が発生すれば、生産と供給を停止せざるを得なくなることを意味する。それは具体的にはヤマルLNG（年間生産量2010万トン、2022年時点）とサハリン2（同1120万トン）であり、日本は国別ではロシア産LNG総量の21%と最大のバイヤーとなっている（表3－2）。もちろん欧州もヤマルLNGから全体でトランジットを含め73%を調達している。

世界のLNG需要の今後の上昇と、現在計画されているLNGプロジェクトの供給見通しを見ると楽観はできない。EU制裁によって、北極LNG－2について1トレインしか稼働しないという前提では、2025年から2026年にかけて世界のLNG需給が逼迫することが見通され、もし1つも稼働しなければショート（供給途絶）を起こす可能性もあるからだ。

欧州はなぜドイツ企業が技術供与し、フランスのトタルを中心に中国および日本も参画するプロジェクトに影響を与えるようなＬＮＧ製品禁輸措置を盛り込んだのか。自らもロシア産ＬＮＧの大顧客であり、天然ガス禁輸に踏み込めない理由（第2章「なぜ天然ガスは禁輸にならないのか」を参照）を理解していながら、自らの首を絞めるような措置を盛り込んだ真意はいまだに分からない。ブリュッセルの政治家が考えることと、実態をよく分かっているエネルギー産業の認識の乖離が招いたとする意見もある。直前の3月25日、米国と共同で発表した「欧州のエネルギー安全保障に関する共同声明」で謳われたように、ロシア産天然ガス依存度を低減するための米国からの追加ＬＮＧ供給に関する協議が何らかの影響を与えた可能性もある。

†サハリン・プロジェクトを狙い撃ちにするロシアの本音

２０２２年6月30日の深夜、クレムリンのサイトに、プーチン大統領が新たな大統領令「複数の外国及び国際組織の非友好的な行動に関わる燃料エネルギー分野における特別経済措置の適用について」（第４１６号）に署名したことが発表された。ガスプロムが大株主であり、ロシア最初のＬＮＧプロジェクトであるサハリン2を名指し、現行の外国法人

（バミューダ諸島）から新たに設立されるロシア法人への移管を指示するのが柱だが、穏便ではない複数の問題を提起する内容となっていた。

まず、サハリン2を規定する根拠法である連邦法「生産物分与契約（PSA：Production Sharing Agreement）法」を無視し、大統領令による指示発動となっていることである。これが認められれば大統領令が司法を凌駕し、法律は意味を持たなくなる（そのような大統領令の乱発はエリツィン政権時代の90年代からあり、批判されてきた）。そして、大統領令発出の背景としてサハリン2における外資の義務違反を示唆しており、その義務違反についてロシア政府が損失額を計算し、外資に対して損害賠償を求めようとしている内容であることも強権の発動をほのめかしていた。さらに、ガスプロム以外のサハリン2参画者（シェル、三井物産および三菱商事）は、新たなロシア法人への権利・義務移管に同意する通知をロシア政府に対して行う必要があるが、ロシア政府にはそれを拒否する権利が与えられており、その場合移管されなかった外資シェアはロシア政府が接収することになる内容だった。

サハリン1に対しても、8月5日に、同プロジェクトの他、同様に連邦法「PSA法」で規定されたハリヤガ・プロジェクト、燃料エネルギー産業および金融分野における戦略的企業を対象とする新たな大統領令「複数の外国及び国際組織の非友好的な行動に関わる燃料エネルギー分野における特別経済措置の適用について」（第520号）が発出された。

ＰＳＡプロジェクトはこれまでもロシア政府の目の敵となり、攻撃を受けてきた歴史がある。ＰＳＡという形態自体は、産油ガス国にとっては自らプロジェクト事業費を出費せずに、特に外国企業しか技術を持っていないようなリスクの高い鉱区において、外資の資金およびリスク負担によって開発を行い、結果、その国はリスクフリーでロイヤリティ・税収を獲得できるというスキームである。他方、外資が魅力を感じる大きな特徴として、投資家への優先コスト回収が認められていることや、今回のような係争が起きた場合に第三国での準拠法に基づく係争協議が認められており、またロシアにおいては連邦法「ＰＳＡ法」の中で外資の権利・義務が守られているため、国有化と接収リスクを回避できる仕組みとなっていることが挙げられる。

ロシア政府は90年代に締結されたこれら3つのＰＳＡプロジェクトについて、21世紀に入り、ロシア企業の持っていない技術導入によって開発が進み、原油価格が高騰し、プロジェクトが儲かり始めると、後出しジャンケンで特に優先コスト回収によってロシア政府の取り分が少なくなることや遅延することに不満を表明するようになった。

表3－3の通り、サハリン1およびサハリン2については「非友好国」の企業が参画しており（ハリヤガ・プロジェクトについては外資は撤退済）、米英を中心とする対露制裁が拡

表3－3　3つのPSAプロジェクトの比較

PSAプロジェクト	事業形態	パートナー：外資	パートナー：露企業	事業規模（2021年生産量）	
サハリン1	非法人型JV ➤法人化 ➤露法人へ移管開始 大統領令第723号	米・日（「非友好国」） エクソンモービル：30% （撤退プロセス中） SODECO：30% インド（「友好国」） ONGC Videsh：20%	ロスネフチ：20% SakhalinMorNeftgaz-Shelf（11.5%） RN-Astra（8.5%）	原油	日量22.7万バレル
		プロジェクトのオペレータはエクソンモービル（子会社であるExxonneftegaz（バハマ法人））。		天然ガス	年間2.7BCM
サハリン2	外国法人 ➤露法人へ移管中 大統領令第416号 政府令第1369号 政府令第1566号	英・日（「非友好国」） シェル：27.5%－1株（撤退プロセス中） 三井物産：12.5% 三菱商事：10.0%	ガスプロム：50%+1株	原油	日量8.4万バレル
		プロジェクトのオペレータはパートナーが按分出資するSakhalin Energy Investment Companyだったが、現在、ロシア政府が設立した「サハリンスカヤ・エネルギヤ」へ移管中。		天然ガス	年間16.3BCM
ハリヤガ	非法人型JV	ノルウェー・仏（「非友好国」） エクイノール：30%→0%（撤退済） トタル：20%→0%（撤退済）	Zarubezhneft：40%→90% ネネツ自治管区政府：10%	原油	日量3.2万バレル
			プロジェクトのオペレータは欧州企業撤退によりZarubezhneftに移管。	天然ガス	年間0.09BCM

（出所：公開・報道情報より筆者とりまとめ）

大する中、その中では事実上のオペレータ（事業運営会社）を務めてきた米国のメジャー企業エクソンモービル（サハリン1）と英国企業シェル（サハリン2）がロシアによるウクライナ侵攻から1週間余りで撤退プロセスを開始すると表明していた。

大統領令で指摘された外資による義務違反とは、エクソンモービルおよびシェルの独自の判断による撤退プロセスによってプロジェクトに生じた何らかの問題を対象としているのではないかと推察される。これら企業の不在により、サハリン1およびサハリン2の原油ガス生産に支障が出れば、最終的にはロシア政府の歳入にも影響が出てくるからだ。

では損害賠償を請求し、これら米英メジャーに出ていってもらうのが、今回の大統領令が目指すロシアの最終目的かというと、そうは思えない。なぜなら、サハリン1は1977年に発見されながら、ソ連・ロシアには開発技術がなく、90年代に入ってPSA形態を取り入れることでエクソンモービルが参画してようやく2006年に生産に至ったのであり、エクソンモービルが提供してきた世界最高レベルの石油開発技術とマネジメントがあったからこそ実現できたプロジェクトだからである。サハリン2も同様に1984年に発見されるも、シェルの開発技術・液化技術・マネジメントがあってようやく2009年にLNG生産にこぎつけたプロジェクトである。

確かに、生産開始からある程度の年数が経ち、一緒に参画するロシア石油ガス企業（サハリン1はロスネフチ、サハリン2はガスプロム）にノウハウの継承がないわけではない。しかし、これら企業が高度な技術ノウハウを持った欧米メジャーの不在を完全にカバーし、同様のプロジェクト管理を再現できるかどうかは疑問である。ある一定期間、生産量は維持できたとしても、新たな探鉱開発計画の策定やそこで適用できる技術・練度の違いが現れ、生産量減退に結び付いていく可能性もある。サハリン2においては、ヤマルLNGで実績を積んできたNOVATEKがシェルの後継として参画する方向で調整が進められているが、たとえ同社が加わったとしても、先に述べたように、欧州によるLNG機器の禁輸措置によって液化プラントに何らかの支障が生じた場合には対応は難しくなるだろう。

ロシア政府の本音は、欧米メジャーの早急な撤退判断に対して、賠償請求をちらつかせることで撤退を考え直してもらおうというものであったと筆者は考える。もし、権益の接収が目的であれば、わざわざ新ロシア法人を設立し、再度権益移行のための申請を出させるようなプロセスをとらず、荒いながらも大統領令で権益を没収することもできただろう。

サハリン2、そしてサハリン1に対する大統領令が出されたことによって、エクソンモービルやシェルは撤退を表明していても、株主に対して、「株主利益最大化の観点から権益分の売却益を確保するためには、すぐには撤退できない状況が新たに生まれた」という口実を説明できるようになったはずだった。ロシア政府としては、撤退するとしても、これらプロジェクトの操業管理にしばらくは支障が出ないように移管期間をしっかり確保するよう欧米メジャーに要請したいという意図があったのではないか。欧州によるLNG機器禁輸にしても、液化技術やLNGプロジェクトの高いマネジメント能力を有するメジャーであるシェルに、問題が起きたときには欧州各国政府との懸け橋として、制裁の一時解除に向けた何らかの役割を担うことも期待していたと考えられるからである。

しかし、両社はロシア政府の思惑には従わず、頑なに撤退に固執した。その背景には、前章「撤退する欧米メジャーと残留する日本企業」で述べたように、すでにロシアで十分稼ぎ、コスト回収を終えていること、そして、株価維持のためのレピュテーション・リスクの回避に重点を置いた判断が働いたと考えられるが、さらに撤退しても売却益を確保する算段、たとえば、産油国による国有化の際に発動する特殊な保険を掛けているという見方も存在する。

†ロシアの歳入は今後確実に減少する

西側メディアも政府も最大の関心の的の1つは、本当に制裁の効果が上がっているのかという点だろう。制裁というとその効果を過大評価する傾向がどうしても見られる。西側諸国は自らも返り血を浴びながら制裁を課しているのであり、早く戦争を終結に導くような目に見える大きな成果を期待したくなるものだ。

しかし、いわゆる経済制裁がある国の政体を変えたり、方針を目に見えるかたちで速やかに変えた事例が皆無であるのも事実である。経済制裁はあくまでロシアを弱体化させ、戦争終結に向けて、ウクライナにとって有利な交渉環境を創り出すことに主眼があり、その効果の出現にはある程度時間を要することが前提となる。また、制裁を課す側はその意味において、一度制裁を課せば、効果や成果が得られるまでは止めてはならず、長期にわたって継続することが求められる。

ウクライナ侵攻から4か月にわたって、ロシアが演出した地政学リスクの上昇に伴い、原油価格は120ドル台という10年ぶりの高水準に至り、天然ガス価格も「ノルド・ストリーム」の完全停止に至るまで史上最高値を2度も更新したことは先述の通りである。このことがロシアの財政に寄与したことは確実だが、石油収入については侵攻直後から大幅なディスカウントを余儀なくされている。天然ガスについては最大需要国であるドイツへの供給停止によって、高価格時でも収入が上がらないばかりか、パイプラインでの欧州向け天然ガス輸出量は往時の5分の1にまで低下してしまっている。そして、その肝心のインフラも何者かによって破壊されてしまい、その状況はすぐには改善できない状況に追い込まれている。

２０２２年通年で見ると、ディスカウントに追い込まれたロシア産原油価格によって、原油輸出収入は、もし侵攻せずに制裁も課されなかった場合の国際価格の収入と比べれば23％の減収となったと考えられる。天然ガス輸出収入は、原油と異なり禁輸もされておらず、既存契約での供給もあり、まだディスカウントはされていない。8月下旬の停止から供給量は大きく減少したが、年末までの高価格の影響で、スポット価格ベースでは大きな増益となったと考えられる（図3－5）。他方、暖冬と欧州諸国の節ガスによって、価格は低水準に戻り、その価格をロシアが再びコントロールしようにも、そのツールである「ノルド・ストリーム」は失われてしまった。したがって、２０２３年は原油、天然ガスともに輸出収入が大きく減少していくことは確実である。

対露制裁においては、侵攻直後からロシア産原油の大幅なディスカウントというかたちで、すでにロシア財政が逼迫する効果が見られており、２０２２年末の石油禁輸および石油価格上限設定によって、さらにその効果は継続することになる。そして、制裁対象となっていない天然ガスにおいても今後追加の収入を期待することは難しい。２０２２年はまだ価格高騰を謳歌できたロシアだが、ロシア財政はこの先、厳しい現実に直面することになるだろう。

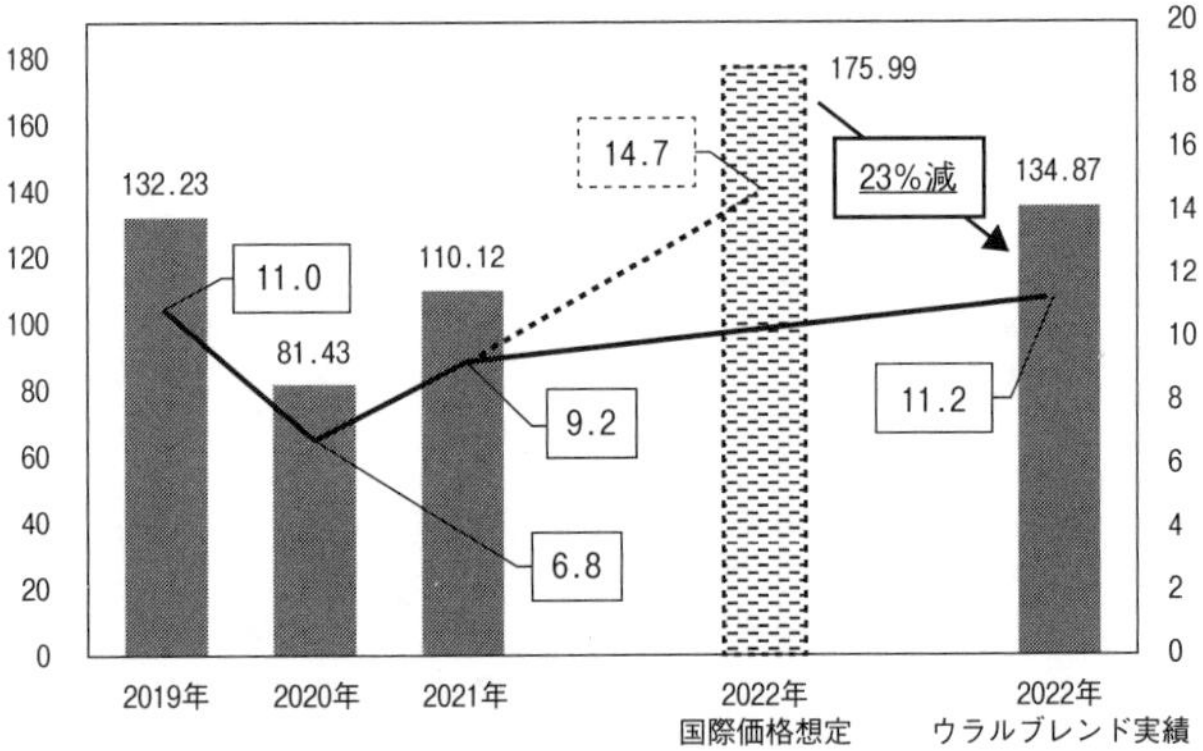

原油輸出収入（棒グラフは通年、実線は月次）

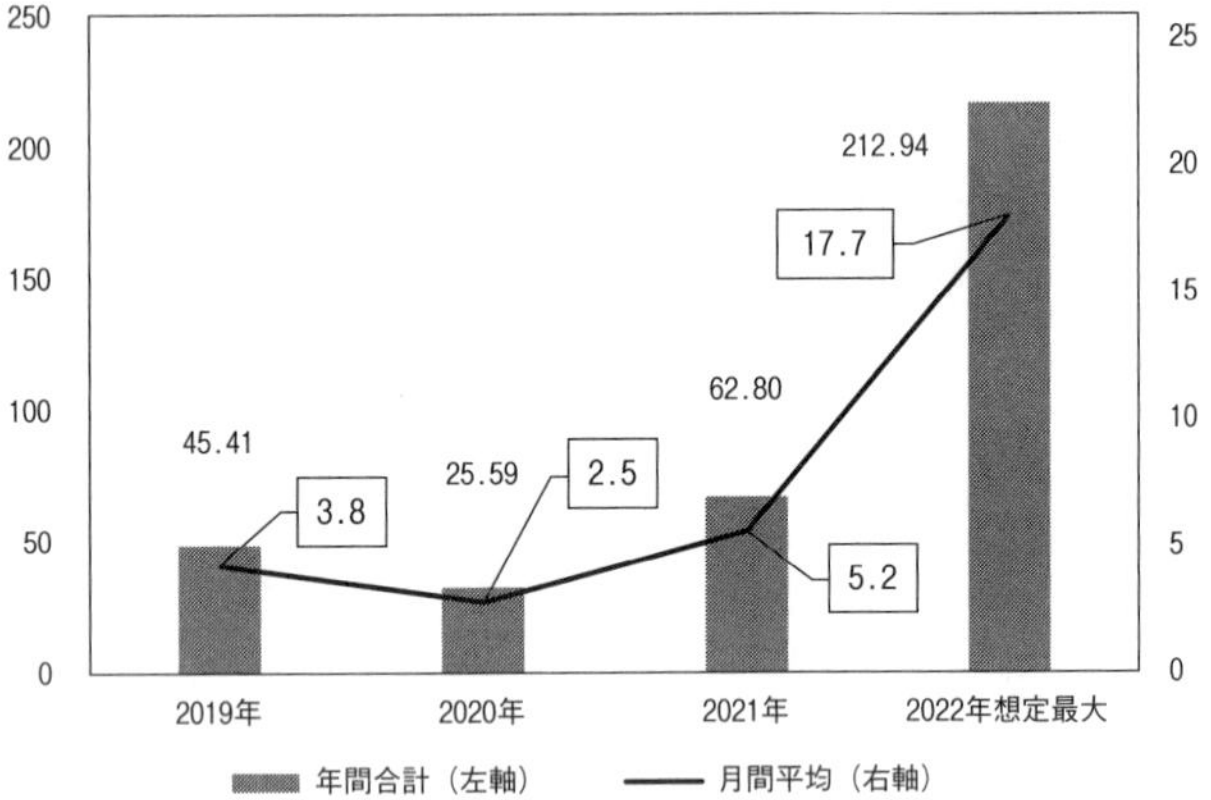

天然ガス輸出収入（同上）

（出所：筆者作成）

図3－5　ロシアの原油・天然ガス輸出収入試算（2022年、単位：十億ドル）

第 4 章

エネルギー危機はいつまで続くか

2023年6月に開催されたOPECプラス閣僚級会合（出所：ロシア首相府）

†戦争も制裁も長期化する

序章で述べた通り、今、石油市場、天然ガス市場にはロシア・ウクライナ戦争と発動された西側諸国の対露制裁によって2つの激震が走っている。石油市場では米国、サウジアラビアに並ぶ大産油国であるロシアに対する禁輸措置と同国産石油に対する価格上限設定措置である。天然ガス市場では唯一供給余力を有する大産ガス国・ロシアによる供給制限(「一国ガス版OPEC」戦略)、大市場である欧州の脱ロシアの加速、そして大動脈「ノルド・ストリーム」の破壊によって、たとえ両者が利益を優先し、ロシア産ガスの供給・購入を再開しようとしたとしても、もうできない状態が生まれてしまっている。

侵攻直後は、ロシア・ウクライナ戦争が終息さえすれば、供給は復活し、エネルギー危機は霧散していくと考えられたが、戦争が始まってからこれまで、情勢改善の兆しはまったく見えず、事態は悪化していると言えるだろう。

戦況が膠着する中、少なくとも2024年3月に実施されるロシア大統領選と5月の新大統領就任までは、ロシア現政権にとって内政上は戦争が継続していたほうが世論をまとめやすく、都合がよい。他方、ウクライナにとっては、ロシアが侵略・併合している東部

4州とクリミアについて、国土を回復すること、戦後賠償をロシアに請求することが必須条件となる。

たとえば、第三国の仲介を経て、停戦に合意するような状況に向かわせる動きが出るとしても、この点についてウクライナの条件が通らなければ、これまで発動された石油禁輸やプライスキャップを含む欧米制裁が解除されることはないだろう。対して侵攻した側であるロシアもまた、現状に鑑みればそのような条件を呑むとは考えにくい。つまり、ロシア・ウクライナ戦争とそれをトリガーとするエネルギー危機情勢は長期化していく可能性がきわめて高いと言えるだろう。

巷間を賑わすプーチン不在説の危うさ

蛇足ながら、西側メディアではロシア大統領の病気説や暗殺説が注目されることがある。確かにこの戦争を始めたプーチン大統領がいなくなれば、この戦争は大きな変化の局面を迎える可能性がある。その意味では2024年の大統領選もプーチン大統領が続投するのか、新たな後継者を選び院政を布《し》くのかという点で重要なポイントとなるのは確かだ。

しかし、この西側に流布しているプーチン不在説は、早くこの戦争を終わらせたいという願望から視聴者に耳心地の良いニュースを抽出してしまう西側メディアによる安易な仮説のように思えてならない。なぜなら、ロシア政府にとってもロシア自体にとっても、プーチン大統領がいなくなることこそが国内に混乱を巻き起こす最大のリスク要因であるからだ。

政府内のパワーバランス、軍治安部隊の掌握、国内の利害関係をすべてコントロールできるのがプーチン大統領であり、もし次の大統領選で続投しないという判断がなされても、後継となる人物への緩やかかつ混乱を避けた継承が期待されている。そうでなければ、一元化されている複雑な権力構造に綻びが出始め、権力奪取を志向する人間が複数現れてくる可能性がある。

また、83もの連邦構成主体（ロシア政府はウクライナ東部4州、クリミア共和国、セヴァストーポリ市を加え89を主張）からなる世界最大の領土を擁するロシアは、これまでロマノフ朝（帝国主義）、ソヴィエト連邦（社会主義）という強固な枠組みでまとめられてきた歴史がある。このような人工的な枠組みがなくなれば、この国は瓦解・分裂する危機に陥る可能性を抱えている。実際、ソ連解体ではその枠組みがなくなったがゆえに、バルト諸国や中央アジア諸国等を独立させるに至っている。現在のロシアは中央集権体制とプーチン大統領のまさに腕力がソ連解体後の新たな枠組みとなって、この巨大な国をまとめ上げている。もし秩序だった後継者への移行期も経ず、同大統領が暗殺や病死することになれば、その枠組みが崩壊し、90年代のチェチェン共和国のように内包する連邦構成主体の中からも独立を志向する主体が出てくる可能性もあるだろう。

最も深刻な事態は国家が分裂する可能性である。ソ連解体時にも、中央集権化に失敗した結果として、シベリアを含む極東は環太平洋経済圏を形成し、サンクトペテルブルクを含む北西地域は欧州との間での自由経済貿易圏に、農産物（麻薬を含む）および石油豊富な南には地方同盟が出現し、事実上国家が分裂するというシナリオ分析もなされた（Yergin & Gustafson, 1993）。中央と地方の対立が深まる中、国土分裂を憂う軍指導部を中心にクーデターが発生し、軍国主義が復活するシナリオだが、90年代とは異なる事象として、中国の台頭と極東・東シベリアに対する関与の増大が挙げられる。形成される極東における環太平洋経済圏とは、プーチン不在という混乱の中で、開かれたものではなく、中国政府がロシアでビジネスを行う中国人保護を目的に人民解放軍を派遣し、極東を支配していくというシナリオに変容していく可能性すら考慮しなければならない。さらにこのような国家分裂の中で、核兵器の管理は誰が行い、誰に核のボタンが渡るのかという問題も当然ながらクローズアップされてくるだろう。

†鍵を握る中国需要の伸び、OPEC増産、そして二次制裁への拡大

第2章「OPECプラス立役者であるロシアへの義理」で述べたように、石油市場においてはロシア以外の産油国が依然供給力を有しているが、西側の働きかけも空しく、OPECプラス諸国は現状の価格水準(2022年初来の70ドル～80ドル)には満足しておらず、さらに米国発の金融不安を受け、減産方針を維持している。一方で、中国では2023年1月に「ゼロコロナ」政策を終了し、需要回復が進んでいる。減産の一方で需要が大きく伸びる局面が生まれようとしており、それは価格上昇というかたちで顕在化してくるだろう。

その場合、問題となってくるのは、これまでも取り上げてきた「プライスキャップ」である。国際原油価格の上昇によりディスカウントされているロシア産石油の価格が設定値を上回ると、そのような取引に対して西側企業は海上輸送サービスが提供できなくなり、ロシア産原油の輸出量のボトルネックが生じる。これにより国際原油価格の上昇に拍車がかかり、高止まりスパイラルに陥る恐れがある。

このような事態を避けるべく、西側制裁当局は2つの戦略をとることになるだろう。まず、やはりOPEC諸国への増産要請である。これまでも冷たくあしらわれてきており、

その結果は未知数の部分もあるが、国際原油価格が上昇する状況では、OPEC諸国内にも2つのベクトルが生じることが期待される。1つはその高価格の恩恵を享受すべく増産し、市場シェアを確保していくという方向である。もう1つは価格が高止まりすることで在来型の原油から非在来型の原油生産、さらには石油以外のエネルギー源へのシフトを避けるべく、価格鎮静化を図るという方向である。

安いロシア産原油が市場に出てこないという事態は、他産油国にとってはロシア市場を奪う好機でもあり、世界市場を安定化させるという大義の下、世界経済の立役者として感謝されながら増産ができ、国際的評価も上昇する。また、世界最大の産油国でもある米国の原油天然ガス生産量も今後短期的に伸びていくことが予想されており、欧州の脱ロシアとエネルギー調達先として後述の天然ガス同様に寄与していくことになるだろう（図4－1）。

西側の各国政府がとりうるもう1つの戦略は「プライスキャップ」について、ロシアの歳入を断つべく、対象を自国だけでなく二次制裁（外国人）に拡大することである。これはイランに対する制裁のように石油禁輸を第三国に強制するものではなく、油価高騰によって、実際の取引でもその閾値を超えてしまう事態が避けられない場合に、第三国に対しても60ドルを超えるような取引をしないよう働きかけるものとなるだろう。

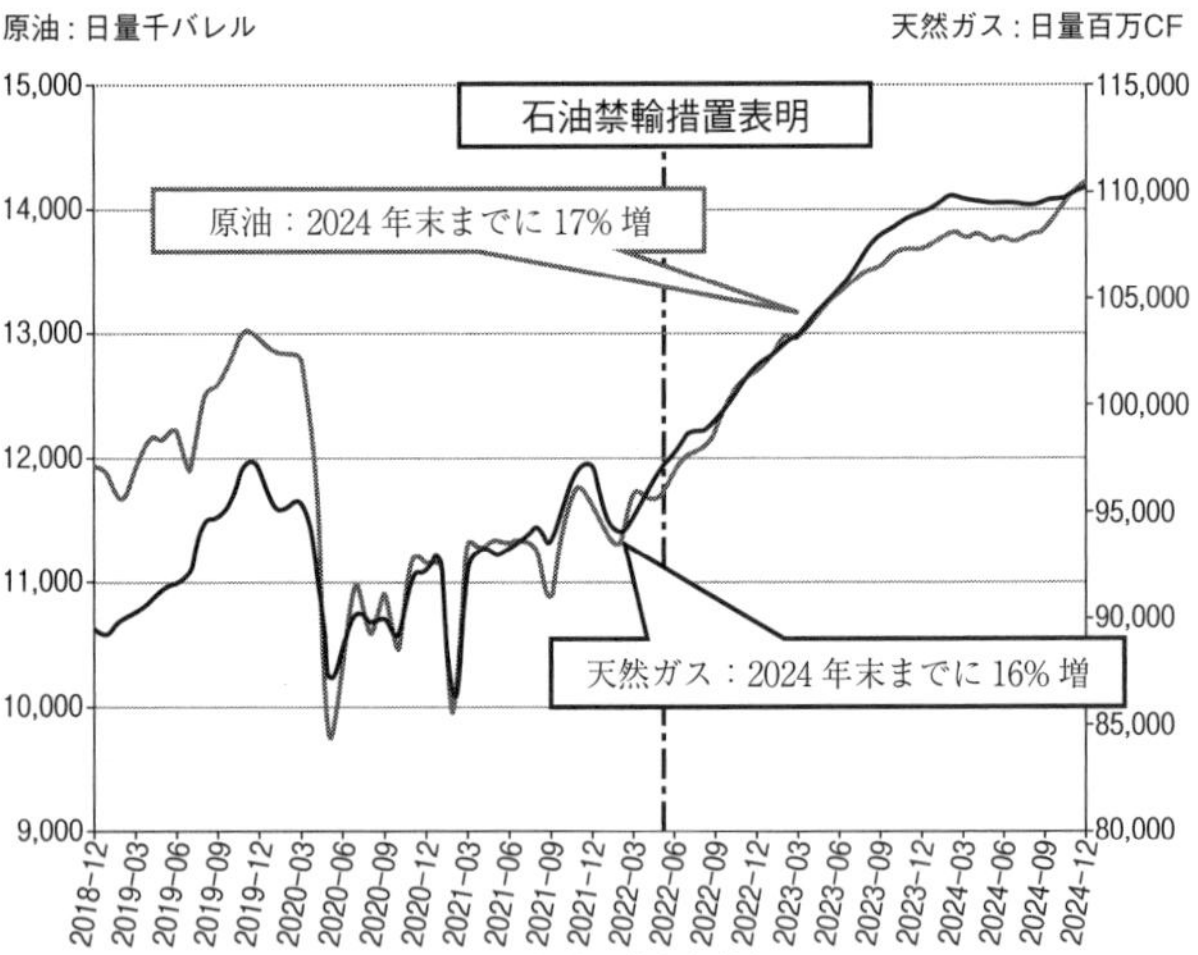

（出所：EIA および Rystad Energy 資料に筆者加筆）

図4－1　米国の短期的原油天然ガス生産見通し

安いロシア産石油を購入している「友好国」のインドや中国にしてみれば、油価が高くなる中、さらに安い原油調達に奔走する必要に迫られる。そのような中で制裁対象が自分にも拡大されることは必ずしもマイナスではなく、制裁リスクの拡大という、ロシア産石油を買い叩く材料をさらに与えられることになる。

†特効薬のない天然ガス――天然ガス禁輸の行方

天然ガス市場は、唯一供給余力を持つロシアがその欧州市場向けの大動脈を破壊工作によって断たれたことで、新たなプロジェクトがロシアに代わって十分な量を供給できると見込まれる

2025~26年までは綱渡りの状況が続くことが確実となっている。

2022年から2023年のガス需要の伸びる冬場を欧州市場が乗り切ることができた理由は、暖冬という神風と「REPowerEU」でEU加盟国に課された節ガス、そして、その節ガスをバックアップしたガス価格の高騰による需要者の使用控えとEU市民の我慢にあった。また、2022年は「ノルド・ストリーム」が8月までは稼働しており、冬に備えて、夏に輸入したロシア産ガスを地下貯蔵施設に貯めることもできた。2023年以降の冬の深刻な違いとして、「ノルド・ストリーム」というベースロード供給源がなくなってしまったことは大きなリスク要因として再度欧州にのしかかってくるだろう。また、2024年は第1章で触れた、2019年に締結されたロシアとウクライナとの間の天然ガス・トランジット契約が満期を迎えるタイミングともなる。ロシアとウクライナとの間の交渉が妥結できなければ、少ないながらも今ウクライナ経由でフローしている欧州向けの天然ガスも停止し、ガス価格が高騰する混乱要素となりうる。

ロシアによる「一国ガス版OPEC」戦略であるガス供給途絶による価格高騰演出は、「ノルド・ストリーム」の破壊によって効果的なツールを失ったが（後述するがLNGについてはその可能性がある）、欧州の冬が例年より寒かったり、急な寒波が襲うような場合にはガス需給は逼迫し、欧州でのガス価格急騰がアジア太平洋市場にも影響を及ぼすだろう。

2022年にも見られた現象だが、高騰する欧州市場へアジア向けLNGが流入し、両市場ではLNGの争奪戦も起きる可能性がある。また、価格が高騰する中で、新興LNG輸入国であるインド、ベトナム、バングラデシュ等はLNGを買い控え、天然ガスよりも環境負荷の高いエネルギー源（石炭等）へ回帰していくことも予想される。

このような中で、欧州ではロシア産LNGの禁輸の議論も始まっていると報道されている。これまで述べてきた天然ガス市場の状況に鑑みれば、ロシア産天然ガスの禁輸は市場を逼迫させ、価格高騰をもたらし、ひいてはロシアの財政を潤すことが明らかである。逆説的だが、ロシアが供給余力を独占している今は、ロシアからできるだけ天然ガスを買い、市場を鎮静化させることこそが、ロシアを利さないことになるのであり、欧州で起きている禁輸議論は正気の沙汰とは思えない。しかし、ブチャでの虐殺事件を受けて、石炭禁輸と並行してLNG機器の禁輸措置が盛り込まれたように、ロシア・ウクライナ戦争の中で、新たな由々しき事態が発生すれば、返り血覚悟での天然ガス禁輸という制裁措置も出てくる可能性がある。特にもしロシアが戦術核を使用するような事態となれば、これまでは制裁対象となってこなかった分野すべてを対象とするような議論が出てきてもおかしくはないだろう。

†「ノルド・ストリーム」破壊が導くさらなる危機

「ノルド・ストリーム」破壊工作から2週間余り経った10月12日、プーチン大統領はモスクワで開かれたエネルギーフォーラムで、今回の事件について、「最も危険な前例を作ったテロ行為だ」と主張し、この攻撃で場所や国に関係なく、「輸送やエネルギー、公益性のきわめて重要な施設がすべて脅威にさらされていることが明らかになった」と述べた。パイプラインの損傷は、米国、ウクライナおよびポーランドによる破壊工作だと非難し、3か国はこの損傷の「受益国」だと断じた。

この発言の背景には、ロシアが他国のパイプライン・インフラを狙った国際テロの危険性を訴え、ロシアが被害者であることを主張する狙いの他に、自国・ロシアがさらなるターゲットとなることへの懸念が見える。ロシアは世界最大の国土に石油だけで6・7万キロメートル余り、天然ガスについては地球4周を超える16・7万キロメートルものパイプラインを擁している（図4－2）。破壊するには最もハードルが高いであろう海底パイプラインで起きた今回の事件は、保有するこれら長大な陸上パイプラインに対してもいつ何時テロが起きてもおかしくないことを意味するからである。

確かにパイプラインの主要施設（コンプレッサー・ステーションやジャンクション）では

ロシア国内の石油パイプライン総延長　ロシア国内の天然ガスパイプライン総延長
6.7万キロメートル　16.7万キロメートル

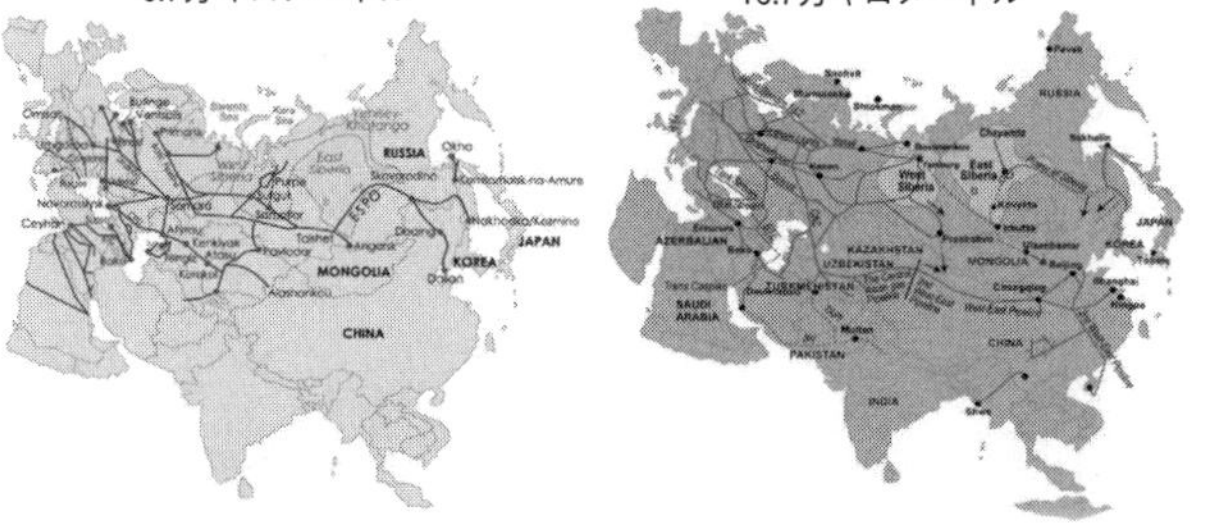

石油パイプライン　天然ガスパイプライン
（出所：トランスネフチおよびガスプロム公開資料より JOGMEC 作成）

図 4-2　ロシアの原油および天然ガスパイプライン図

関係者以外の立ち入りが厳しく制限されているが、公道と交わっている箇所は無数に存在し、いかに警備を強化したとしても完全に防ぐことは難しいのが実情である。

　ロシア政府による警戒レベルが高まっていることを示すように、その翌日の10月13日、政府は「トルコ・ストリーム」への攻撃を企てたとして数人を逮捕したと発表した（人数、国籍等不明）。10月8日に爆破された「クリミア大橋」について、ウクライナの特務機関によるテロ工作と断定したロシア政府は、ウクライナ側がロシア国内の発電所やガス輸送網も標的としたと主張し、そこには「トルコ・ストリーム」も含まれていたと発表している。

　実際、「ノルド・ストリーム」が破壊されてから、ほぼ毎月のようにロシア国内の陸上パイプラインでは何らかの爆破に関する事故・事件が発生している

表4－1　「ノルド・ストリーム」破壊工作後にロシア国内で発生したパイプライン事故

日付	場所	内容
2022年		
9月26日	バルト海	「ノルド・ストリーム」および「ノルド・ストリーム2」破壊工作
10月13日	黒海	「トルコ・ストリーム」への攻撃を企てた容疑で数人を逮捕
11月19日	レニングラード州	サンクトペテルブルク郊外のガスパイプラインで爆発が発生
12月20日	ニジニ・ノヴゴロド州	ガスパイプラインが爆発。3人死亡
2023年		
2月1日	ブリャンスク州	「ドルージュバ」原油パイプラインに攻撃
3月14日	ブリャンスク州	「ドルージュバ」原油パイプラインで3つの爆発物を発見
5月10日	ブリャンスク州	「ドルージュバ」原油パイプラインに攻撃未遂

※上記のほか、石油施設を狙った攻撃も複数報道されている（出所：筆者とりまとめ）

（表4－1）。2023年に入ってからはウクライナ国境と接する連邦構成主体で、原油および天然ガスパイプラインが集中しているブリャンスク州での攻撃と見られる事件が相次いでいる。

これまで平時のロシアでパイプラインでの漏洩や引火事故が高い頻度で起きてきたのは事実であるが、爆発物の入手が容易で、ウクライナとは陸路障壁なくつながり、かつ国内にも多くのウクライナ人を抱えるロシアにおいて、一部の急進的な反露活動家がそのパイプラインを破壊するのはさほど難しいことではない。

問題は、その破壊活動の結果、ウクライナを経由し欧州へ向かうパイプラインが停止すれば、ウクライナが犯人であると割れてしまうとともに、欧州諸国が困ることになり、またウクライナ自身にもロシアからの原油ガスの通過収入が入らなくなるということである。ブリャンスク州における一連の事件は、そのような事情、ウクライナの国家としての利益・不利益が分かっていない人間が関わっている可能性を示している。

ロシア国内供給にダメージを与えるには、さらにロシア国内に入り込み、人口の密集する首都モスクワやサンクトペテルブルクといった大都市、西シベリアやヴォルガ・ウラル地域といった生産地域近くのパイプラインをターゲットとすることになるだろう。そうなれば、ロシア側の警備範囲が限りなく拡大していくことになり、防ぐことは難しくなる。今後このような爆破工作が増加していく可能性が高いと考えられる。

†市場を不安定化させるＬＮＧ機器禁輸とロシア産ＬＮＧ

前章「欧州が盛り込んだＬＮＧ機器禁輸の不可解」では、ブチャ虐殺を受けて欧州制裁に石炭禁輸とともに盛り込まれたＬＮＧ機器禁輸措置について説明した。この措置は新たなプロジェクトをロシアで立ち上げさせないというだけではなく、稼働中のプロジェクトについても、もしその液化プラント機器に何らかの問題が生じ、ストックがなく、機器の取り換えが必要となった場合にはそのプラントが停止せざるを得ない状況に追い込まれることを意味する。

ロシア産LNGプロジェクトは近年プラントをフル稼働し、設計能力を大幅に超えて運転している。2021年は2980万トン、さらに2022年は8・4%増の3230万トンであった。これは世界のLNG需要の約8%を占め、オーストラリア、カタール、米国に次ぐ世界第4位の規模である。その主力プロジェクトの1つであるサハリン2（2009年稼働開始、年間液化設計能力1080万トン）には、現在は英国企業となったシェルの液化技術が用いられ、プラント建設は千代田化工建設と東洋エンジニアリングが行った。もう1つのプロジェクト・ヤマルLNG（2017年稼働開始、年間液化設計能力1650万トン）には米国企業（Air Products社）の液化技術が用いられ、プラント建設はフランス企業のTechnip、日揮および千代田化工建設が行った（図4-3）。

LNG機器の禁輸措置は欧州制裁のみであり、米国や日本、英国は現時点では行っていない。したがって、エネルギー分野での新規投資に当たるかどうか、またサービス提供の制限に抵触するかどうかなどクリアすべき問題はあるが、当該LNG機器の輸出は事実上可能である。

しかしながら、これらプロジェクトに問題が生じた場合に、プラントを建設した日本企業が欧州に断りなく、日本政府が制裁を課していないという理由だけでLNG機器をロシアへ輸出するとは考えにくい。そのようなことをすれば、世間の耳目を集めることになり、

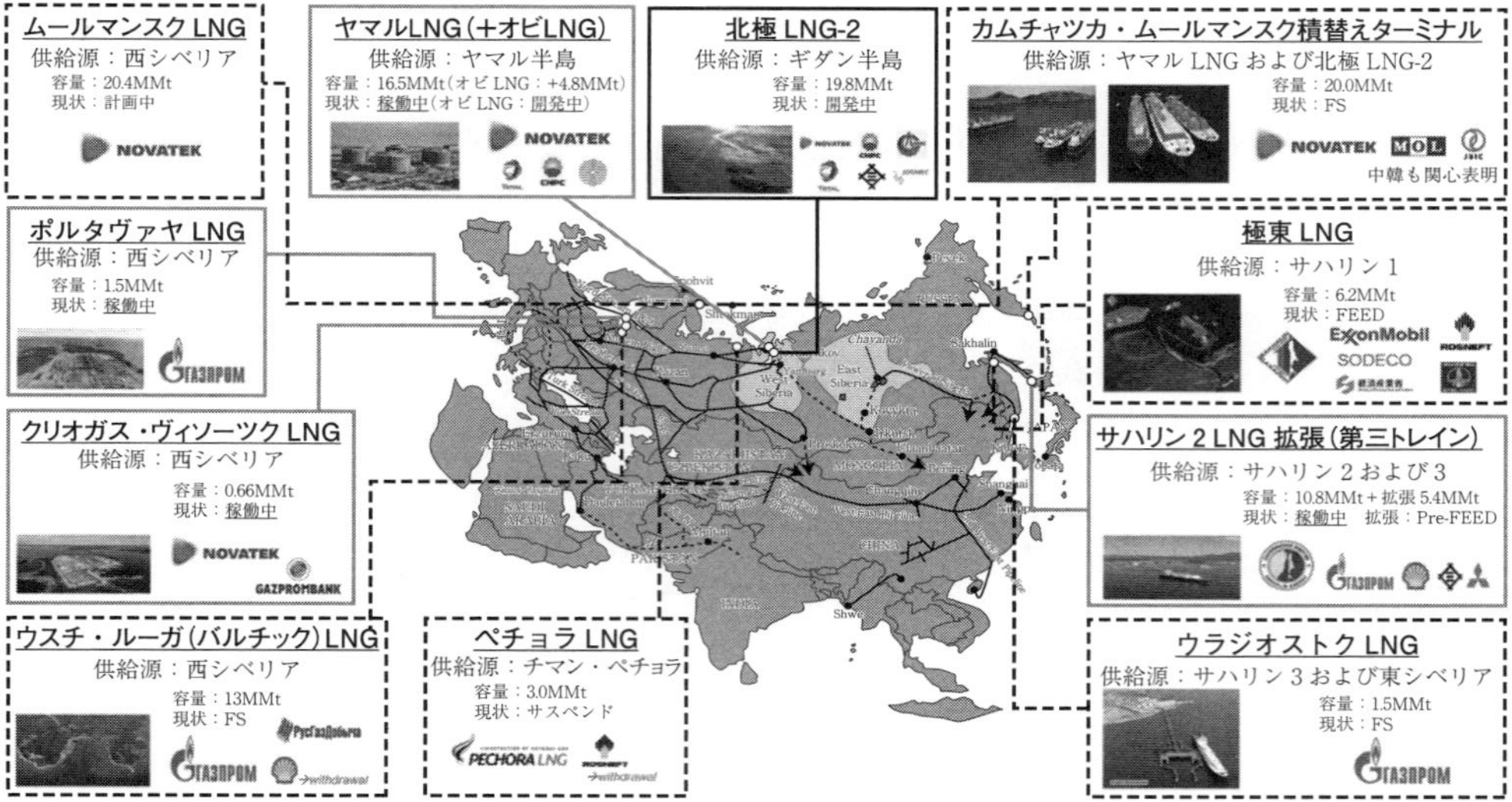
ムールマンスクLNG
供給源：西シベリア
容量：20.4MMt
現状：計画中
NOVATEK
ヤマルLNG（＋オビLNG）
供給源：ヤマル半島
容量：16.5MMt（オビLNG：+4.8MMt）
現状：稼働中（オビLNG：開発中）
NOVATEK
北極LNG-2
供給源：ギダン半島
容量：19.8MMt
現状：開発中
カムチャツカ・ムールマンスク積替えターミナル
供給源：ヤマルLNGおよび北極LNG-2
容量：20.0MMt
現状：FS
NOVATEK
MOL
中韓も関心表明
ポルタヴァヤLNG
供給源：西シベリア
容量：1.5MMt
現状：稼働中
ГАЗПРОМ
クリオガス・ヴィソーツクLNG
供給源：西シベリア
容量：0.66MMt
現状：稼働中
NOVATEK
GAZPROMBANK
極東LNG
供給源：サハリン1
容量：6.2MMt
現状：FEED
ExxonMobil
SODECO
ROSNEFT
サハリン2LNG拡張（第三トレイン）
供給源：サハリン2および3
容量：10.8MMt＋拡張5.4MMt
現状：稼働中　拡張：Pre-FEED
ГАЗПРОМ
ウスチ・ルーガ（バルチック）LNG
供給源：西シベリア
容量：13MMt
現状：FS
РусГазДобыча
ГАЗПРОМ
withdrawal
ペチョラLNG
供給源：チマン・ペチョラ
容量：3.0MMt
現状：サスペンド
PECHORA LNG
ROSNEFT
withdrawal
ウラジオストクLNG
供給源：サハリン3および東シベリア
容量：1.5MMt
現状：FS
ГАЗПРОМ
Sakhalin
West Siberia
East Siberia
Chayanda
Shwe
（出所：公開資料より筆者作成）

図4－3　ロシアで稼働・開発・計画中のLNGプロジェクト

レピュテーション・リスクや欧州地域での企業活動への影響が出てくる可能性もあるからだ。つまり、これらプラントに問題が生じた場合に、欧州制裁によって生産復旧に向けた即効性のある対応ができない可能性が生じているのが現状であり、このこともエネルギー危機を長期間にわたってもたらす要因となっている。

このような中、サハリン2を巡る危機的状況がこれから起きる可能性がある。サハリン2は隔年で液化施設等の大規模な定期修繕を行っており、前回は2021年夏に実施された。その2か月間はプラントの稼働に制約が生じるために、通常生産量の3割程度まで落ち込む。2023年も7月から実施されることになっているが、2021年とは異なる3つの不安要素がある。まず、既述の通り、欧州によるLNG機器禁輸措置によって、もし問題がある機器が見つかり、事業会社（ロシア政府が新たに設立したサハリンスカヤ・エネルギア社）にストックがない場合、サハリン2のLNG生産再開ができない可能性があることである。そして、2つ目のリスクは、これまでプロジェクトを事実上主導する立場にあったシェルなき今、ガスプロムだけでどこまでメンテナンスできるのかが不明であるということである。さらに、3つ目のリスクとして、ロシアの悪意が働く可能性があるという点である。2022年8月、「ノルド・ストリーム」を自ら止め、ガス価格の異常高騰を演出したように、故意にメンテナンスを遅延させ、天然ガス価格高騰を再度演出しながら、制裁を課している欧州や最大需要家である日本をＬＮＧ調達ができない状況に追い込むことで揺さぶりをかけてくるかもしれない。

本書の刊行時点には判明することだが、そのような事態には、ヤマルＬＮＧであればフランスおよび日本両政府、サハリン２の場合には日本政府が盾となり、欧州市場および日本市場でのＬＮＧ需給逼迫回避を理由に、欧州制裁の一時的解除を確認・要請することになるだろう。

†脱ロシアが加速する脱炭素の落とし穴

２０２１年、ＣＯＰ26で最高潮を迎えた脱炭素という世界潮流については次章で詳しく論じるが、ここでは、脱ロシアが脱炭素を加速させようとしている一方で、エネルギー危機を併発する可能性があるということに触れておこう。

ロシア・ウクライナ戦争によって、特に欧州において、脱炭素が脱化石燃料、そして脱ロシアの動きを加速させようとしている。ロシア産化石燃料からの脱却に対する圧力は、「REPowerEU」では当初は２０３０年の達成が想定されていたが、それが２０２７年に前倒しされたことにも表れていると言えるだろう。欧州委員会や欧州議会の中でも脱炭素を標榜する派閥にとっては、ロシア産化石燃料からの脱却はカーボンニュートラル実現に向けた追い風と映っている。

しかし、本当にそううまくいくだろうかという疑問は拭えない。ロシア産エネルギーに欧州が依存してきた最大の理由はパイプライン・インフラが創出した地理的な近接性と需要を満たす調達可能な十分な量、そしてリーズナブルな価格にあった。欧州は今、ロシア・ウクライナ戦争によって脱ロシアを脱炭素のためのガソリンとして注ぎ込み、アクセルを踏もうとしているが、そこにはロシア産エネルギーが持っていたこれら3つの利点をどう補うのかという具体的な議論はない。

風力や太陽光を中心とする再生可能エネルギーは不安定であり、電力供給のベースロードたりえない中、2021年にはその不調が天然ガス需要を喚起し、ガス価格高騰を招いた。ロシアからのパイプライン・ガスを他産ガス国からのLNGに置き替えようとしても、欧州市場の需要を賄うだけの供給量を確保するには2026年までかかる見込みであり、さらに液化・輸送コストもかかる。第一、欧州に十分な受入れ施設の準備も必要である。この供給・需要両面のマッチングが仮にうまく行ったとしても、「REPowerEU」が目標とする2027年時点で、少なくとも天然ガスについてはロシアからのパイプライン・ガスが依然必要な状態が続いており、ガス価格が高かろうともロシア以外のソースからのガス調達を進めるという前提で、欧州からロシア産ガスを排除できるのは早くても2032

年から2033年頃になると考えられる。

それでも果敢に欧州各国は脱ロシア、そしてその延長としての脱炭素実現に邁進《まいしん》するだろう。しかし、それは他エネルギー源の供給不調や新たな地政学リスクの高まり、世界の天然ガス争奪戦の勃発によって、いつ何時、局所的なエネルギー危機が起きてもおかしくない状況を甘受することが前提となるのである。

第 5 章

脱炭素とエネルギー資源の未来

2021年11月、グラスゴーで開催されたCOP26にて演説する英国のジョンソン首相（当時）
（出所：英国政府）

カーボンニュートラル、ネットゼロ、新たなエネルギーとしての水素・アンモニア……。気候変動対策としての脱炭素の世界潮流の中で、これらキーワードを新聞やテレビで見かけない日はない。世界ではこれまでに約8割の国が2050年から2070年にかけてのカーボンニュートラル実現を表明している（図5-1）。その象徴的な会議となった2021年のCOP26グラスゴーでの気候合意をもって「脱炭素が世界のコンセンサスとなった」と言う人もいる。

これまで見てきたように、ロシア・ウクライナ戦争の前、世界は経験したことのないエネルギー分野全体に影響を及ぼす巨大な2つの波を受けようとしていた。1つは、新型コロナウィルスの世界的流行に伴う経済停滞とエネルギー需要の縮小であり、そして、もう1つはその経済復興の起爆剤としての欧州発の脱炭素政策、その世界への急拡大である。本章では、この加熱する脱炭素のうねりについて、冷静な視点でその現実と包含する課題、各国の思惑を見ていこう。

†新型コロナウィルスが脱炭素を導いた

まず、エネルギー分野におけるこの2つの波が、ともに新型コロナウィルスの世界的蔓

目標	表明とタイミング
2050年	2019年12月欧州グリーンディール 2020年３月長期戦略
ドイツは2045年に前倒し	
2050年	グリーン産業革命のための10項目 2020年３月長期戦略
2050年	2020年７月大統領選選挙公約 2021年４月気候変動サミット
2060年	2020年９月国連総会演説 2020年11月第14次五カ年計画
2050年	2020年10月 菅首相・所信表明演説
2050年	2020年12月 長期低排出開発戦略
2050年	2021年４月 気候変動サミット
2050年	2020年11月 カナダネットゼロ排出責任法 2021年２月 米加気候変動取組合意
2060年	2021年８月 経済発展省によるネットゼロシナリオ 2021年10月 国際エネルギー会議での大統領演説
2060年	2021年10月 サウジ気候会議でのサルマーン皇太子スピーチ
湾岸諸国ではUAE(2050年)に次ぐ。直後バーレーンも表明(2060年)	
2050年	2021年10月 「オーストラリアン・ウェイ」首相スピーチ
2070年	2021年11月 COP26での首相スピーチ

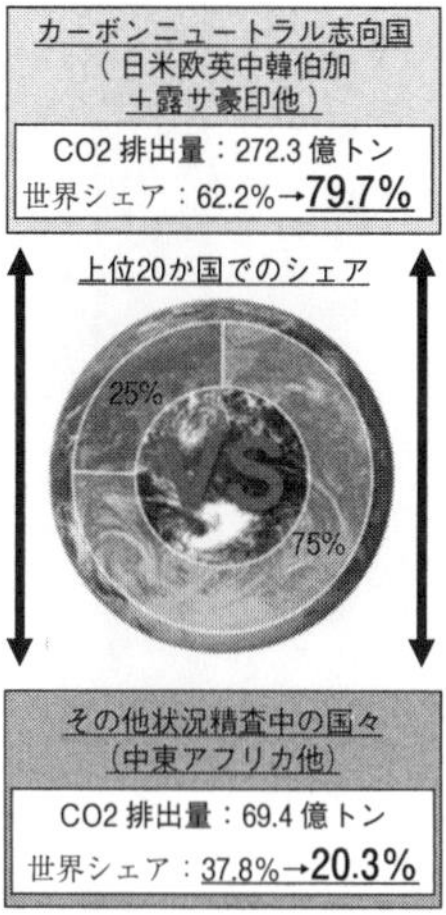

（出所：経済産業省、BP 統計および報道情報から筆者とりまとめ）

図５－１　2020年以降、カーボンニュートラルに舵を切った主要国

延と深く関係していることを思い出す必要がある。確かに欧州での脱炭素に向けたうねりの起点は90年代の京都議定書に連なる動き、そして、2000年のリスボン戦略に見いだすことができる（図5－2）。

2019年12月、新たに欧州委員長に就任したフォン・デア・ライエン氏が目玉政策として掲げたのは、その流れを引き継ぐ「欧州グリーンディール」であった。しかし、そこには欧州が抱える構造的な問題があ

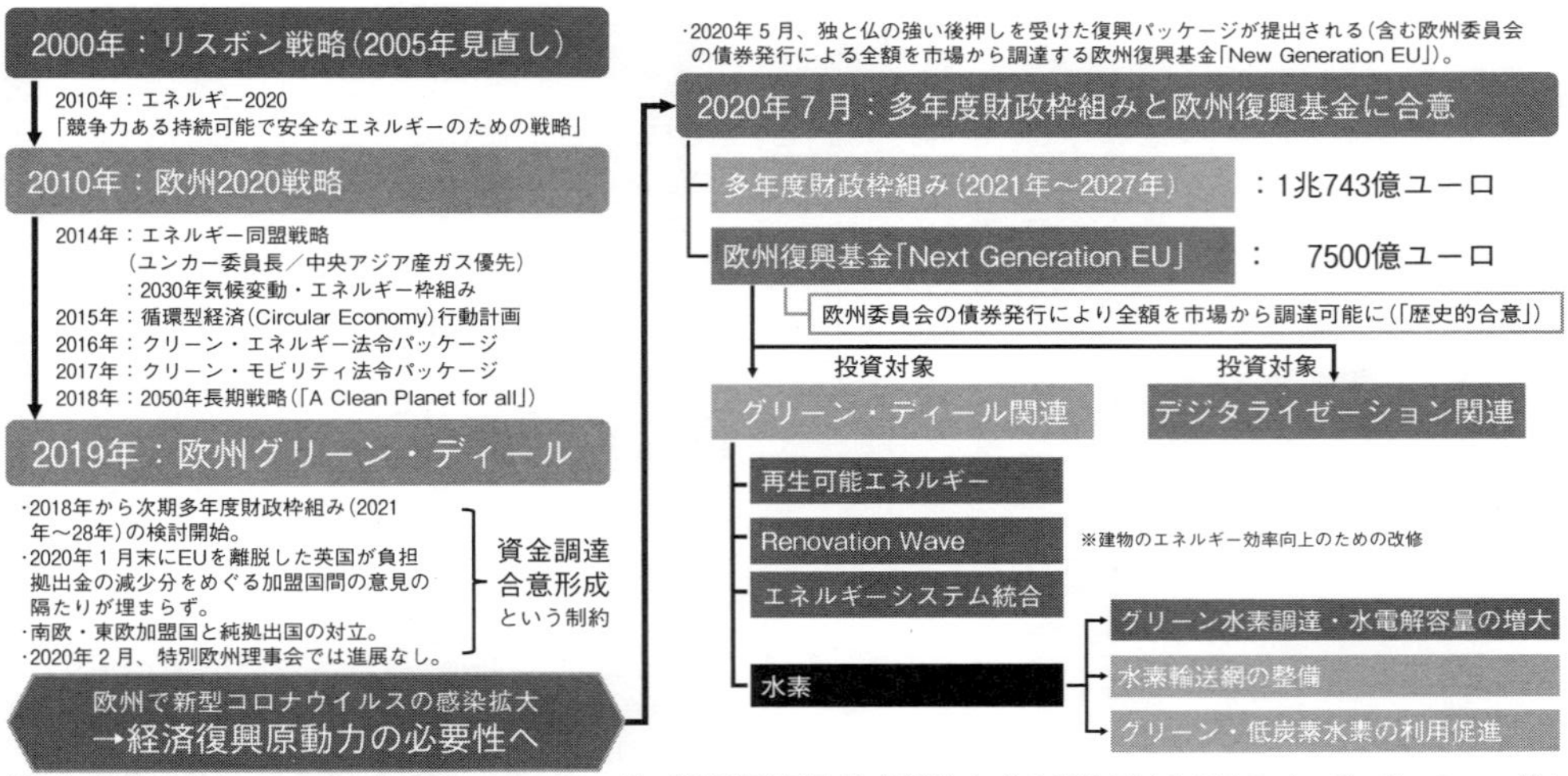
2000年：リスボン戦略（2005年見直し）
2010年：エネルギー2020
「競争力ある持続可能で安全なエネルギーのための戦略」
2010年：欧州2020戦略
2014年：エネルギー同盟戦略
（ユンカー委員長／中央アジア産ガス優先）
：2030年気候変動・エネルギー枠組み
2015年：循環型経済（Circular Economy）行動計画
2016年：クリーン・エネルギー法令パッケージ
2017年：クリーン・モビリティ法令パッケージ
2018年：2050年長期戦略（「A Clean Planet for all」）
2019年：欧州グリーン・ディール
・2018年から次期多年度財政枠組み（2021年～28年）の検討開始。
・2020年1月末にEUを離脱した英国が負担拠出金の減少分をめぐる加盟国間の意見の隔たりが埋まらず。
・南欧・東欧加盟国と純拠出国の対立。
・2020年2月、特別欧州理事会では進展なし。
資金調達
合意形成
という制約
欧州で新型コロナウイルスの感染拡大
→経済復興原動力の必要性へ
・2020年5月、独と仏の強い後押しを受けた復興パッケージが提出される（含む欧州委員会の債券発行による全額を市場から調達する欧州復興基金「New Generation EU」）。
2020年7月：多年度財政枠組みと欧州復興基金に合意
多年度財政枠組み（2021年～2027年）
：1兆743億ユーロ
欧州復興基金「Next Generation EU」
：　7500億ユーロ
欧州委員会の債券発行により全額を市場から調達可能に（「歴史的合意」）
投資対象
投資対象
グリーン・ディール関連
デジタライゼーション関連
再生可能エネルギー
Renovation Wave
※建物のエネルギー効率向上のための改修
エネルギーシステム統合
水素
グリーン水素調達・水電解容量の増大
水素輸送網の整備
グリーン・低炭素水素の利用促進

（出所：欧州委員会エネルギー総局ボレロ・エネルギー戦略調整局局長（当時）による2021年10月7日のプレゼンテーション等より筆者作成）

図5－2　欧州連合の脱炭素に向けた経緯と、起爆剤としての新型コロナウィルス

った。すなわち全加盟国の合意形成と資金調達である。一国だけでも脱炭素に向けた道筋は複雑であり、既存のエネルギー需給体制に大きな変化と莫大な資金投入を要することになるが、加盟27か国それぞれでエネルギーミックス、そして経済規模が異なる欧州連合では、脱炭素を進めることに対する姿勢も各国で異なっていた。

そこに全加盟国を一気にまとめ上げる事象が巻き起こる。フォン・デア・ライエン委員長就任から3か月後、2020年2月にイタリアのミラノ近郊で発生した新型コロナウィルスの集団感染を皮切りにした、欧州各国・各都市での流行拡大とロックダウンの開始である。

新型コロナウィルスの蔓延と都市閉鎖に伴って予想された景気後退・経済低迷への対策が求められる中、新委員長が掲げる「欧州グリーンディール」がその1つの中心柱として据えられた。事態の深刻さと喫緊な対応の必要性から5月には、欧州の経済的支柱であるドイツとフランスがイニシアチブをとり、全加盟国が欧州復興基金や債券発行、そして1・8兆ユーロ（約270兆円）規模の2027年までの多年度予算枠組みの合意に至るのである。

新型コロナウィルスという欧州連合加盟国が一丸となって対処しなければならない危機がなければ、ここまで短期間のうちに「欧州グリーンディール」の具現化に向けた動きが加速することはなかっただろう。この欧州発の急速な潮流は世界にも波及し、翌年のグラスゴーでのＣＯＰ26で最高潮を迎えていく。

他方、新型コロナウィルスが起点となっていることが、将来の欧州政策に不安定な影を落としていることに注意しなくてはならない。その危機がすでに去った、またはそのように人々に受け止められつつある今、経済復興が順調に進んだ場合にはこれだけ巨額の予算を割り当てるべきなのかという政策に対する方向修正の議論が起きるかもしれない。合意した多年度予算枠組みが満了する２０２７年より後の政策について、そのときの情勢によっては各国の不協和音が生じてくる可能性もある。脱炭素を牽引する欧州連合における政策リスクにも十分留意しなくてはならない。

†ロシアと欧州の前哨戦

欧州での動きを横で見ながら、当初、戦々兢々《せんせんきょうきょう》としていたのはロシアだった。周知の通り、石油天然ガスからの収入に依存するロシアは、中国を中心とするアジア太平洋市場を目指し、東方シフトと呼ばれる市場多角化も進めてきたが、依然として欧州向けの西側フローが石油天然ガスともに４分の３を占めてきた（それでもほぼゼロだった東方フローを20年余りで拡大してきたとも言える）。

そのドル箱であり続けてきた欧州が脱化石燃料を本格的に進めようとしている。それに呼応するかのように、2020年6月、ロシアは11年ぶりに長期エネルギー戦略を改訂した。内容としては前年発表された欧州グリーンディールを受け、半年余りの間で急遽水素エネルギーに関する項目が加えられたことが目を引く。水素に対する関心が国際的にも高まり、欧州でも新たな戦略が出されようとしていたタイミングを受けて、ロシアの長期エネルギー戦略にも水素エネルギーがにわかに組み込まれたのだった。

戦略の中で注目されるのは、ロシアが水素を石油天然ガスに置き換わる敵というよりは、石油天然ガスに加わるプラスアルファの商機として捉えており、欧州の動きを見極めながら、石油天然ガスより高く売れ、彼らが望む気候中立な水素を生産するプロセスの研究を、そのソースとなる天然ガスを保有するガスプロムに（ブルー水素およびターコイズ水素）、水素生成の方法である水の電気分解について、二酸化炭素を排出しない電源である原子力発電を司るロスアトムに（イエローまたはピンク水素）、それぞれ進めさせようとしていることである。この方針は、長年の原料輸出経済から脱し付加価値を加えた製品輸出による国益の最大化を図ろうとしているロシアの方向性にも合致する。

化石燃料については、同戦略の中では生産を維持・継続し、特に天然ガスについては拡大していく方針が示されていることも目を引く（表5－1）。また、気候変動への対応に

表5－1 「ロシアにおける2035年までのエネルギー戦略」におけるポイント（抜粋）

石油	新規鉱床での開発困難な割合や既存鉱床での枯渇率が上昇するため、石油の生産コストの増加が課題。したがって、石油の生産水準を維持していくには、生産中の老朽鉱床の開発促進のほか、小規模鉱床、石油産出量の低い坑井や水含有率の高い坑井、開発困難な埋蔵量（バジェノフ層を含む）の商業化が必要。少なくとも2025年までは大手企業の活動が中心と見込まれるが、国産イノベーション技術や市場変動への柔軟な対応を担う中小石油ガス企業の役割も高まっていく。
天然ガス	国内ガス需要の充足を図り、世界的なガス市場へ柔軟に対応すべく、ガスプロムの透明性を確保しつつ独占を維持。また、新たな発展分野としてLNGを位置付け、ヤマル半島及びギダン半島におけるLNG開発に加えて、ロシア領北極圏において、LNG積替え・備蓄・貿易の拠点（ハブ）の創出、カムチャツカおよびムールマンスクにおけるターミナル建設を進める。その実現には北極海航路の通年航行の確保を含むインフラ開発が密接に関連。
石炭	伝統的なロシア中西部の生産地での生産継続とともに、東シベリアおよび極東や北極圏等の新たな炭田開発を推進。新規炭田開発と石炭生産地がロシア東部に移動することは、国内の石炭消費地への接近、アジア太平洋諸国の市場におけるロシアのプレゼンス強化に寄与。他方、ロシアの石炭輸出の競争力は輸送インフラに大きく依存するため、鉄道・港湾インフラの整備や輸送ロジスティクスの効率化が課題。

気候変動への対応	地下資源利用における環境規制の厳格化、随伴石油ガスの効果的利用を促進、国際基準に合致した自動車燃料の生産・利用の促進、石炭産業再編の枠内での土地回復等を実施。また、2017年時点では、ロシアにおける温室効果ガス排出量は、1990年の水準と比べて、67.6%（森林吸収量を算定しない場合）、50.7%（森林吸収量を算定する場合）まで低下。

水素エネルギー	ロシアが水素の生産・輸出における世界での主導的地位を得るため、水素および水素混合エネルギーの輸送インフラないし消費創出に向けた国家支援や法的支援の整備を行うとともに、天然ガスからの大規模な水素生産の拡大を目指す。また、外国技術のローカライズも含めて、メタン熱分解等の手法による国産の水素生産の技術開発を目指す。

（出所：政府発表文書から筆者とりまとめ）

至っては、温室効果ガス排出量は1990年比で半減しているとし、すでに気候変動問題へロシアとして対応してきたことを示しながら、世界の潮流とは一歩下がった対応に留まっていたと言える（2020年6月時点。ただし、後述の通り、2021年10月COP26に向けてカーボンニュートラルへ舵を切る）。

欧州連合では脱炭素実現のために、さらに化石燃料に対して課税を行い、財源を調達する動きも出てきた。いわゆる国境炭素調整メカニズム（CBAM：Carbon Border Adjustment Mechanism）である。CBAMについて、欧州委員会は2023年1月から試験運用を、2026年1月から徴収を開始するとしており、対象分野はまず鉄鋼、セメント、アルミニウム、肥料および電力であるが、今後対象を拡大していく予定となっている。

ロシアにとって財政上の最重要分野である石油天然ガス分野は現時点では対象ではないが、現在対象となっている肥料では欧州輸出の36%をロシアが占めており、鉄鋼でもトップ3に入ることから、ロシアへの影響はすでに大きい。また、国境炭素税の導入は既存市場における競争優位性に変化をもたらし、欧州の石油化学事業者は炭素集約度の高いロシア産原油への依存を減らし、より低い、たとえばサウジアラビアからより多くの原油を輸入するようになる可能性があるという分析もなされている。

もしロシアのすべての輸出産業分野に対して導入された場合、2025年導入では20

30年までの間にロシアに課される炭素税は333億ユーロに上るという試算もあり、ロシア政府内でもCBAMへの対応への議論が始まっていた。

この欧州の動きに対してロシアはロシア版炭素排出権市場の確立によって対抗しようとしている。ロシアには森林吸収とCCUS（二酸化炭素の地下貯留）という2つの世界最大のポテンシャルがあり（詳細は後述する）、脱炭素に向けた排出削減努力を国単体で括るのであれば、ロシア領域に所在する森林や地下貯留による二酸化炭素吸収はロシアが享受するべき「排出権」に等しく、これらポテンシャルを現金化し、さらに国境炭素税を課されることになる自国産業を法制面・財政面で強化することを目指していたのである。

しかし、ロシア・ウクライナ戦争はロシア側のこうした動きに大きな変更を迫ろうとしている。欧州にとっては脱炭素は脱ロシアの延長線上にある一方で、ロシアにとっては脱炭素の中で既存インフラを活用し、高価な新商品である水素を欧州に売りつけるという目論見が、水素だけでなく、天然ガスですら危うくなってきたからである。

†水素が抱える課題

欧州連合が水素に注目し、ロシアも長期エネルギー戦略に水素を盛り込んだ。もちろん欧露だけでなく、化石燃料に代わる脱炭素の旗艦エネルギーとして、温暖化ガス排出のない水素に世界が注目している。

この動き自体は脱炭素達成だけでなく、エネルギー源の多様化にもつながるエネルギー安全保障を高める可能性を確かに秘めている。しかし、ビジネスにおいて問題となるのは、化石燃料のようなそれ自体が生成物として存在する一次エネルギーと異なり、水素は生成プロセスの必要な二次エネルギーであり、ゆえに一次エネルギーに比して価格が高くならざるを得ないという事実である。さらにマイナス253度という極低温でなければ液化しないため、大容量での輸送にもコストがかかってしまう。天然ガスの液化温度であるマイナス162度よりも高い、マイナス33度で液化するアンモニアが水素の輸送手段（水素キャリア）として注目されるのはこのためである。

水素のエネルギー密度は一般的な燃料の中で最も高く、発熱効率が良いことがよく取り上げられる。水素のエネルギー密度の高さは重量当たりの熱量で表され、確かに天然ガスやガソリンに比べても2・5〜3倍も高い。他方、体積当たりの熱量でみると、天然ガスに比べ3分の1程度である。このことは天然ガスと同じ発熱量を実現するには、その3倍もの体積の水素を調達しなければならず、二次エネルギーとしての生産コストはもとより、その輸送および貯蔵に対してもコストがかさむことを示している（図5-3下表）。このほか、水素脆性《ぜいせい》（水素が吸収され金属が脆《もろ》くなる現象）や安全性の問題を含め、水素が持つ特

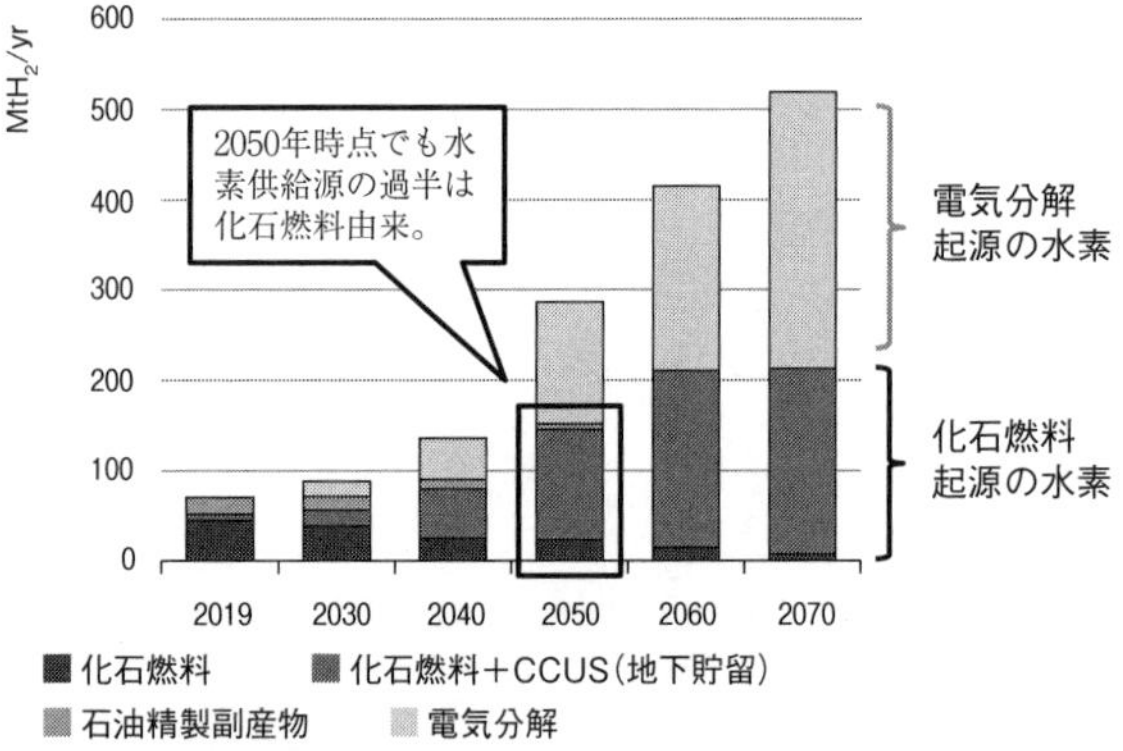

燃料	重量当たり発熱量
水素	33,940kcal/kg
天然ガス（メタン）	13,280kcal/kg
ガソリン	11,450kcal/kg
軽油	11,070kcal/kg
エタノール	7,100kcal/kg
メタノール	5,400kcal/kg

燃料	体積当たり発熱量
水素（0℃／1気圧）	2.95kcal/ℓ
天然ガス（0℃／1気圧）	9.59kcal/ℓ
液化水素（LH2）	2.41kcal/ℓ
液化天然ガス（LNG）	5.64kcal/ℓ
ガソリン	8.59kcal/ℓ
メタノール	4.29kcal/ℓ

※高位発熱量で比較した値（出所：IEA資料等から筆者とりまとめ）

図5-3　2070年までの水素供給源見通しと燃料別発熱量の比較（重量および体積）

性は今後解決・留意すべき問題として顕在化してくるだろうし、そのことがこれまで水素が他燃料に比べ経済的に劣後し、主要エネルギー源として活用されてこなかった理由の根幹を成している。

　輸送に関してみれば、欧州への水素輸出においてロシアは有利な条件にある。すでに欧州には成熟した天然ガスパイプライン・インフラがあり、水素を天然ガスと一緒に気体で混送することは技術的に可能であることが判明していた。また、IEAが試算した供給ソース別の水素生産の長期見通しでは、世界の需要を十分に満たすことができる水素を調達するには、生成過程でまったく二酸化炭素を出さないグリーン水素（再生可能エネルギー起源）では足らず、その半分を化石燃料、特に天然ガス起源のグレー水素またはブルー水素（CCUS併用）が占めるという結果が出ている（図5－3上図）。そこにこそ天然ガス埋蔵量世界1位という規模を有し、欧州市場に直結する天然ガスパイプラインを擁するロシアの強味も出てくるはずだった。

もう1つ忘れてはならない水素利用が包含する課題は、化石燃料に課されている税である。日本では石油に年間4～5兆円とも言われる各税（原油関税、石油石炭税、揮発油税・地方揮発油税、航空機燃料税、石油ガス税、電源開発促進税、軽油引取税、消費税）が課税されている。天然ガスにも石油石炭税のほか、用途に従って電源開発促進税や石油ガス税が適用されている。それら税収は道路整備など使用使途が決められている。近年では、電気自動車の普及拡大により税収の急激な減少がすでに発生しており、自動車に関わる税制・政策を整理すべきとの指摘も出されている。

これは日本に限った話ではなく、欧州でも米国でも今そこにある問題として認識されている。水素や燃料アンモニアの導入においても、同様の問題が生じることは明らかだ。化石燃料起源の燃料よりも高いうえに、熱量も少ない、そして競争力の問題から税金を課すこともできない燃料源を受け入れるには、その分の財源のしわ寄せがどこかに生じるということである。

†脱炭素は脱化石燃料を意味しない

2050年以降、脱炭素を実現するという世界潮流では、化石燃料が気候変動の原因であり、その使用を根絶しなくてはいけないという「べき論」がクローズアップされる傾向にある。しかし、カーボンニュートラル（炭素中立）という言葉が用いられ始めているように、化石燃料から排出される炭素（二酸化炭素）を中立（相殺）させ、化石燃料の使用自体は否定しないという方法を認める脱炭素に向けた具体策も一般的に認知されつつある。その背景には、脱炭素実現に向けて人類が対応を迫られるであろう3つの厳しい現実がある。

まず、人口の増加である。国連によれば2050年に世界人口は現在の79億人から約2割超増加し、97億人に達することが見込まれている。人口の増加はエネルギー使用の増加をもたらし、二酸化炭素を排出する既存の安価で調達しやすいエネルギー（化石燃料）需要の増加が避けられない。そうであれば、エネルギー使用時に排出される二酸化炭素を回収し、地中に埋める二酸化炭素地下貯留（CCUS）や、水素を生成するプロセスで二酸

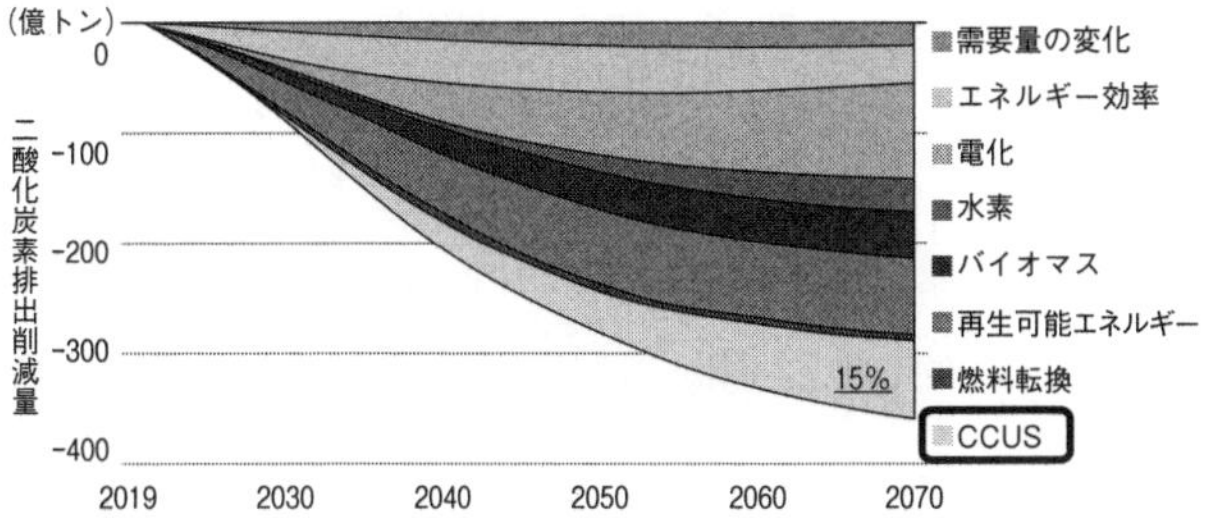

(出所：IEA 資料に筆者加筆)

図5－4　世界のエネルギー起源 CO_2排出削減貢献量の見通し

化炭素を固体化する方法（ターコイズ水素等）を活用し、化石燃料を使用しながら二酸化炭素の排出を抑制することが不可欠になると見通されているのだ。たとえば、ＩＥＡの２０７０年までの長期的二酸化炭素排出削減貢献量に関する見通しでは、全体の15％と再生可能エネルギーに並ぶ貢献をＣＣＵＳに見込んでいる（図５－４）。

次に化石燃料に代わる、十分な熱量（アウトプット）があり、経済性および汎用性が高く、成熟した市場と需給インフラを有したエネルギー源がまだ見つかっていないという事実である。前述の通り、水素自体は二次エネルギーであり、これら化石燃料が有する優位性に現時点ではかなわない。また、たとえば次のエネルギー（電力）源として核融合も期待されているが、コストに見合い、同時に大規模な出力を確保するにはまだ時間を要する。石油のようにエネルギーだけでなく石油化学製品として日常生活に不可欠かつ一部代替が難しいものについては、脱炭素を目指す中でも使用せざるを得ないと考えられる。

さらに脱炭素を進めることを宣言した国々が多くある一方で、ほぼすべての国がある聖域には踏み込めていないという事実がある。それは、脱炭素の実現においては、究極的には自分たちの経済活動や生活水準を変えなければならない可能性が高いという現実であり、二酸化炭素排出量を縮小するには経済の縮小とともに便利な生活を手放し、できるだけエネルギー消費を抑えなければならない。その「聖域」である経済活動には踏み込まず、現在の生活が維持できる前提で努力していくという姿勢に留まってしまっている。

化石燃料に代わるエネルギー源がない以上、その経済活動を維持するには、化石燃料を使用せざるを得ない。そのことは脱炭素の世界潮流の火付け役であり、最も先進的な政策を模索している欧州連合が示すエネルギーミックスの長期見通しにも見て取ることができる（図5－5）。

2018年11月に欧州委員会から発表された政策文書「全ての人のためのクリーンプラネット——繁栄的で現代的、競争力のある、気候に中立的な経済のための欧州の長期戦略的ビジョン」では、2050年時点の正味二酸化炭素排出量ゼロを実現する場合のエネルギーミックスを9つのシナリオで試算している。この中でベースラインケースでは2017年時点と比較すると再生可能エネルギーのシェアは増加し（13・9％→36・0％）、化石

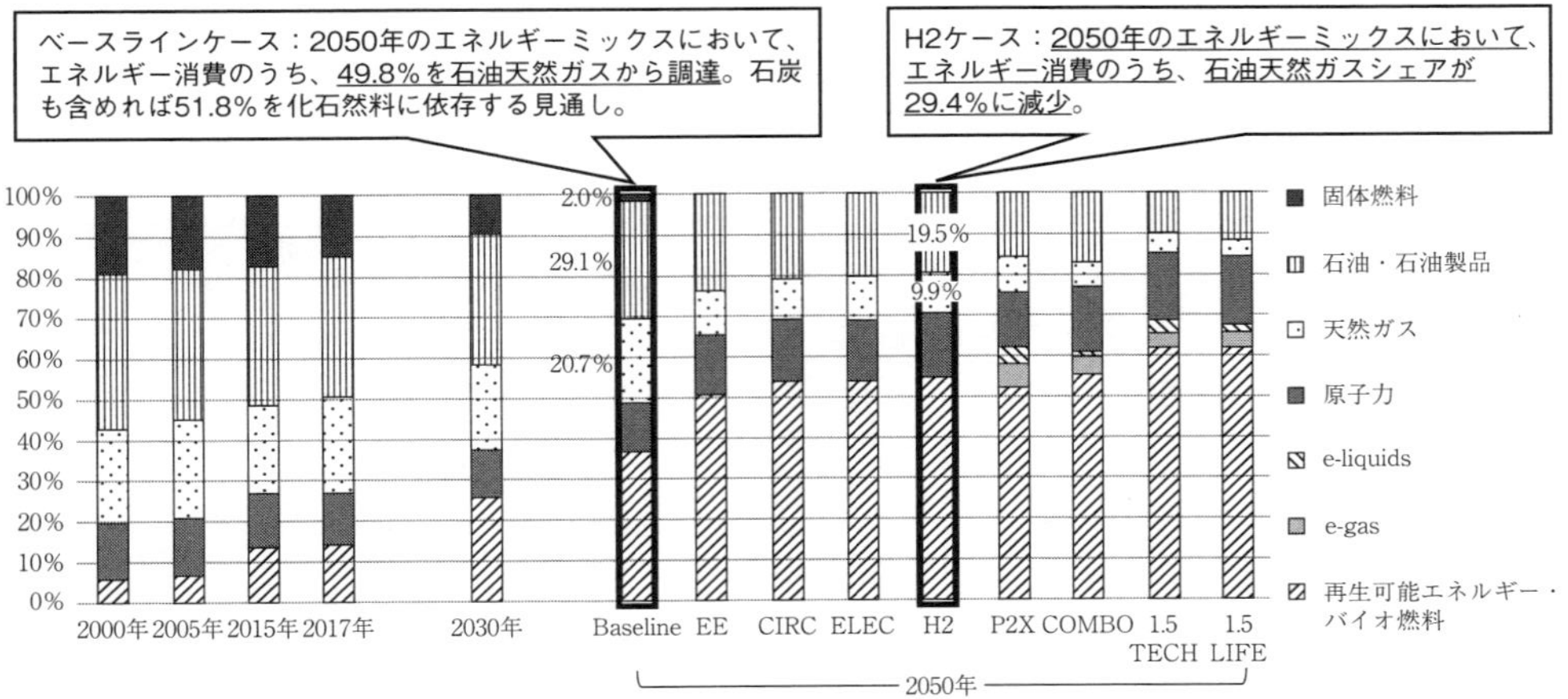

EE	全部門での省エネの強化	P2X	合成燃料、合成ガスの産業・輸送等への導入
CIRC	リサイクル強化	COMBO	2℃上昇抑制に向けた選択肢のコンボ
ELEC	全部門での電化	1.5TECH	COMBOをベースに1.5℃抑制
H2	産業・輸送等への水素エネルギー導入	1.5LIFE	上記＋生活方法変更

図5－5　2050年時点の欧州域内のシナリオ・エネルギー源別エネルギー消費量予想（新型コロナウィルスおよびロシア・ウクライナ戦争以前の前提）（出典：欧州委員会資料より筆者作成）

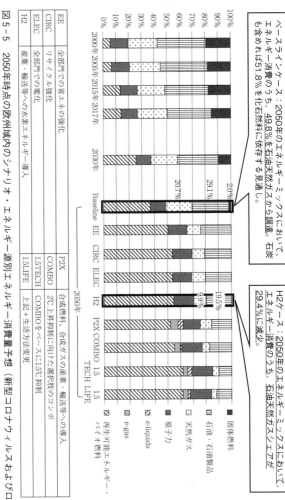

燃料需要は減少するが、それでも石油天然ガスは約半分の需要を賄うことが見通されている（58・6％→49・8％）。

水素の大幅な活用を見込む「H2ケース」でも、石油ガス需要は確かに低下するが、それでも一次エネルギー供給の3割弱は石油天然ガスが占めることが予想されていた。この化石燃料の使用に伴って排出される二酸化炭素については、前述の通り、回収し地下に貯留するCCUSや管理森林の増加によるオフセットが計画として織り込まれている。

なお、その後、欧州連合におけるエネルギーミックスの見通しは、新型コロナウィルス蔓延下で公表された2020年時点の長期エネルギーミックス見通し、そして、COP26を目指して2021年7月に出された「Fit for 55」シナリオとリバイスされてきた。また、ロシア・ウクライナ戦争勃発後出された脱ロシアを目指す「REPowerEU」によって、脱化石燃料も強化されているのは確かである。特に「Fit for 55」では石油ガスへの依存を劇的に削減し、風力、バイオ燃料、太陽光等を急増させることを想定している。しかし、その場合においても2050年時点で石油ガスの使用がエネルギーミックスからまったくなくなるというわけではない。

†ロシアはすでにネットゼロを達成している？

ロシアはウクライナ侵攻以前の2021年11月から、軍事演習を名目にウクライナ国境付近に軍隊を集結させており、欧米は外交ルートでその真意を探りながら交渉を進めてきた。だが、その半年前にもウクライナ国境付近にロシア軍が集結していたことは忘れられようとしている。これは同年3月にゼレンスキー大統領がNATOのストルテンベルグ事務総長との電話会談の中でウクライナがNATOへ加盟する意思を示したことに対する警告と考えられた。緊張が高まる中、最終的に4月22日にショイグ国防大臣が軍隊撤退を発表し、収束することになった。

その背景には同日、米国が主導するかたちで開催されたオンライン気候変動サミットという国際協調の場があったことが影響したのではと推察される。COP26を秋に控え、米国の気候変動対策での主導力を見せる国際的な場として企画され、プーチン大統領も参加することとなっていたからである。バイデン政権成立後、米露首脳会談が模索される中、最終的に6月にジュネーブで実現する前段階で開かれたマルチでの国際会合であり、ロシアにとっても環境問題に積極的に関与する姿勢を世界に示すまたとない機会であった（写真5-1）。

気候変動サミットでは、プーチン大統領の発言の中で、ロシアの森林吸収量に関する公式見解が出されたことが注目された。プーチン大統領は「前日行った年次教書演説にて、社会経済開発に関して私が設定した最優先課題の1つが、2050年までに我が国の累積温室効果ガス排出量を大幅に制限することだった。（中略）ロシアは、年間25億CO_2トン相当の生態系による吸収能力〔引用者注：正味かグロスかは不明〕により、ロシアだけでなく、地球規模の温室効果ガスの吸収に多大な貢献をしていると言っても過言ではない」と述べ、これまで公式数字としては出されていなかったロシアの森林による二酸化炭素吸収量を年間25億CO_2トンと明らかにしたのである。

確かにロシアはその国土の大きさも反映し、森林の面積ではアマゾンを擁するブラジル（12％）に大差をつけて、地球全体の森林面積の5分の1を占める規模である（表5－2）。森林の二酸化炭素吸収量は面積だけで測れるものではなく、その植生（針葉樹林か広葉樹林か）や高さ（体積）も重要であることは言うまでもない。旧BP統計によればロシアの二酸化炭素排出量は年間約20億CO_2トンであるとされている。これは正味排出量で、保有する森林吸収分も全体の排出量から差し引いたものであり、プーチン大統領の言う25億CO_2トンという数値とはすでに齟齬《そご》が生じているが、もしプーチン大統領が述べたように年間25億CO_2トンもの森林吸収量があるのであれば、現時点でロシアはすでにカーボンニュートラルが達成できているということになってしまう。

はたして、この25億CO_2トンの根拠についてはその直後から専門家の間で批判にさら

写真5-1　オンライン気候変動サミットでのプーチン大統領スピーチの模様（出所：ロシア大統領府）

表5-2　二酸化炭素年間排出量上位10か国（上段）と森林面積上位10か国（下段）

順位	国	排出量（百万 CO_2 トン）	シェア
1	中国	11,876.9	30%
2	米国	5,297.7	14%
3	インド	2,865.2	7%
－	参考：EU	2,822.6	7%
4	ロシア	2,024.0	5%
5	日本	1,093.3	3%
6	イラン	904.8	2%
7	インドネシア	836.9	2%
8	サウジアラビア	724.0	2%
9	ドイツ	652.4	2%
10	韓国	618.2	2%

20億 CO_2 トン

順位	国	面積（千ヘクタール）	シェア
1	ロシア	815,312	20%
2	ブラジル	496,620	12%
3	カナダ	346,928	9%
4	米国	309,795	8%
5	中国	219,978	5%
6	オーストラリア	134,005	3%
7	コンゴ民主共和国	126,155	3%
8	インドネシア	92,133	2%
9	ペルー	72,330	2%
10	インド	72,160	2%

年間25億 CO_2 トン
相当を吸収か

※上記二酸化炭素年間排出量は、エネルギー、フレアリング、メタン排出、工業プロセスからの排出量の合計
（出所：旧 BP 統計［Energy Institute 統計］および林野庁資料から筆者とりまとめ）

されることになった。専門家がおよそ一致するのは、ロシアにおいて管理された森林は約6億CO^{2}トンの二酸化炭素を吸収すると推定されるが、ソ連時代のデータ統計しかなく、最新の数値は不明であるということだ。

一般論として脱炭素への方法として森林吸収量へ依存することに対する警鐘もある。森林吸収は既存の脱炭素に向けた方策の中では強力で効果的だが、排出量吸収への救世主にはなりえないというものだ。その理由は規模も速度も十分ではなく、植林した苗の25%が枯れ、十分な二酸化炭素吸収まで成長するには20~30年がかかる。また、当然ながら森林は自ら育つのに任せるのではなく、間伐し、スペースを確保しながら、長期にわたって管理・生育する必要がある。枯れた場合には保持している二酸化炭素は吐き出されるという点も留意しなくてはならない。また、もし人類が人口増加に見合った十分な二酸化炭素吸収量を確保するためにはインド大陸の5倍の面積が必要との試算もあり、人工的な森林拡大・加速はかえって既存生態系や農産業を破壊し、食糧危機を加速させる恐れがあるというのである。

†ロシアの脱炭素シナリオ

COP26開催直前の2021年10月13日、ついにロシアは2060年までのカーボンニュートラル達成宣言を行った。モスクワで開催されたエネルギーフォーラム「ロシアン・エネルギー・ウィーク」におけるプーチン大統領のスピーチでは、その実現のための方法は明確化されず、自国の脱炭素実現より2060年という長期を見据えて炭化水素の世界シェアの拡大と増産を謳っていることが目を引く内容だった。

その後、ロシア政府はその実現に向けた具体的な施策である低炭素戦略「温室効果ガス排出量減少に向けた2050年までのロシア連邦の社会経済的発展戦略」をCOP26開催期間中に発表する。戦略は「慣性」と「目標」（基本シナリオ）の2つのシナリオから成り、基本シナリオではロシアの正味温暖化ガス排出量は2050年までに2019年レベルから60%（1990年レベルの80%）削減される。この延長線上に2060年までのカーボンニュートラル達成がある。この実現のための方策はやはり森林吸収による貢献から成っていることも明らかになった。特に目標シナリオにおいては、森林吸収量が2050年には現在（2019年比）の2倍に増加することを前提とする非現実的な内容となっている（図5-6）。

世界最大の森林面積を有し、推定6400億本の樹木を保有すると考えられるロシアだが、タイガ（亜寒帯に植生する針葉樹林）とも呼ばれる森林の管理は不十分であり、地球温暖化も要因となっていると見られる乾燥の影響で、過去2年間で記録的な山火事も発生し

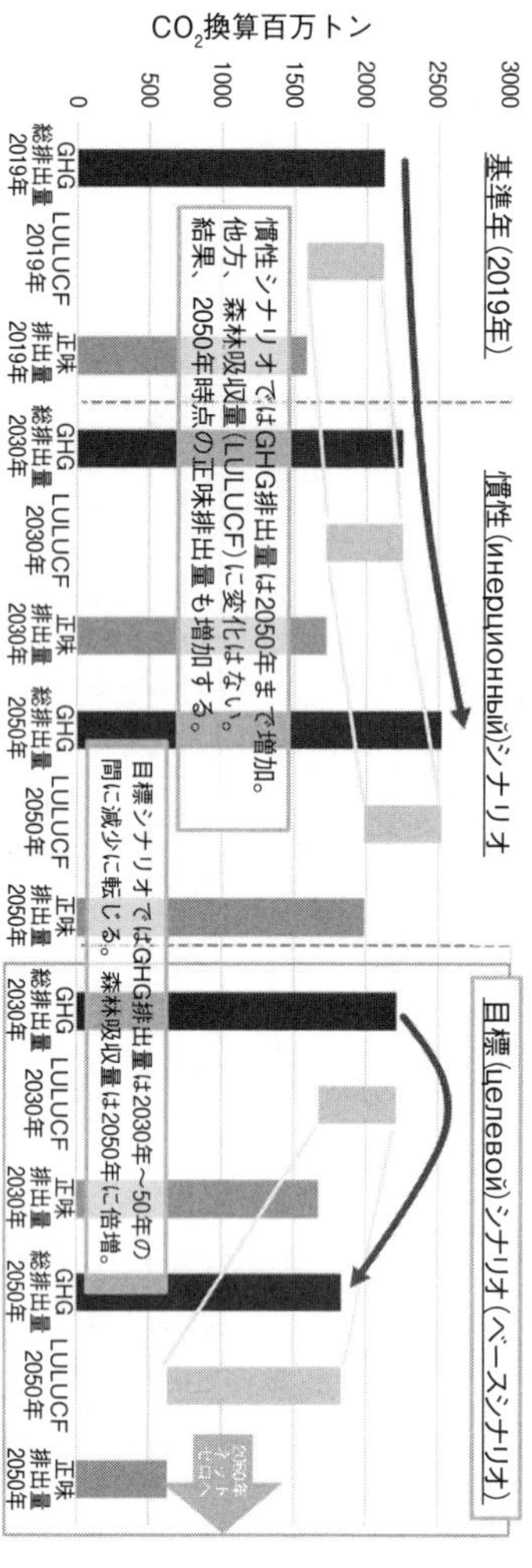

※LULUCF：土地利用、土地利用変化および林業部門（Land Use, Land Use Change and Forestry）（出所：ロシア政府公開資料、Lambert Energy Advisory 資料より筆者作成）

図5-6 「温室効果ガス排出量減少に向けた2050年までのロシア連邦の社会経済的発展戦略」におけるロシアが想定する脱炭素シナリオ

ている。

極東・北極発展省は森林保護・管理の方策として、ロシア企業に対して、新しく木を植え、森林保護に投資することでロシア政府から森林の一部をリースすることを可能にし、

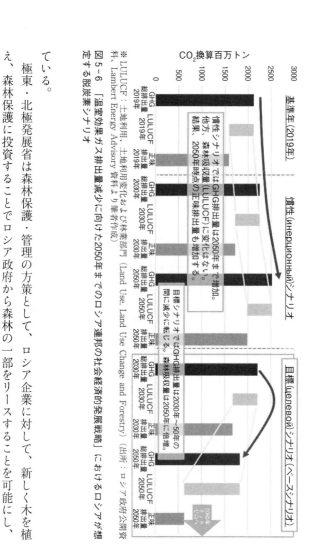

投資によって二酸化炭素吸収が改善されたことがデータで確認された場合にはその企業は排出権を取得し、デジタルプラットフォーム上で取引できるような制度設計を行う計画であることを明らかにしている。

森林火災や病気の発生などの予測できない出来事により、森林からの炭素隔離に関する正確なデータの取得は困難であることに留意する必要があるとの指摘もある。詳細な統計データが不可欠である一方、前述の通り、ロシアでは関連統計はソ連時代からほとんど更新されていないとも言われている。ロシア政府が進めようとしている森林吸収によるカーボンニュートラル達成は、もしそれが大気中の二酸化炭素量の新たな削減に貢献していないことが客観的に証明されれば、批判にさらされ、頓挫する可能性もあるだろう。

†アンモニア・ブーム

液化する温度がきわめて低く、大容量輸送に難を抱える水素にとって、そして島国であるがゆえに、海上輸送で大規模なエネルギー調達を実現しなければならない日本にとって、その問題を解決する方法として注目されているのがアンモニアである。日本政府も「水素基本戦略」（2017年12月26日関係閣僚会議決定）において、水素キャリア（他に液化水素、有機ハイドライド［MCH］などがある）の1つとしてアンモニアを位置づけ、液化水素や

MCHと比べて、運搬が容易である点に優位性を見いだしている。

アンモニアは一般的に水素と窒素の反応（ハーバー・ボッシュ法）により合成され、製造過程で排出される二酸化炭素はCCUSによって地中に貯留することでクリーンアンモニア（ブルーアンモニアとも呼ばれる）を製造することが検討されている。また、アンモニアは直接燃焼が可能であり、燃焼時に二酸化炭素を排出しない（窒素酸化物NO_xは排出されるが、制御可能であることが分かっている）。したがって、既存の二酸化炭素排出量の多い石炭、重油や天然ガスに代わって、火力発電や工業炉、船舶等の燃料として活用しやすい。JERAは2021年からIHI社と共同で石炭とアンモニアの小規模混焼を開始し、2023年度には混焼率20％の実証試験を実施している。その結果を踏まえて本格運用を始め、2040年代の専焼化に向けて段階的に混焼率を上げていく計画を掲げている。

問題がまったくないわけではもちろんない。経済産業省も指摘しているように、もしアンモニアが燃料として使われるようになれば、石炭火力1基（100万kW）の20％混焼で年間50万トンが必要となる。もし国内の大手電力会社のすべての石炭火力発電で20％の混焼を実施した場合、年間約2000万トンのアンモニアが必要となり、これは現在の世界全体のアンモニア貿易量に匹敵する規模と言われている。

アンモニアは窒素肥料の原料としての重要な役割もあり、燃料としてのアンモニア需要の台頭はアンモニア市場を高騰させてしまうだろう。アンモニアが燃料としての用途を確立するには、十分な供給源と輸送インフラ、燃料アンモニア市場の形成とサプライチェーンの構築が不可欠となってくる。

†ターコイズ水素の可能性

水素やその輸送キャリアとして注目されるアンモニアは、それが二次エネルギーであるがゆえのコスト高という特徴を持つとしても、エネルギー供給源の多様化に寄与し、ひいてはエネルギー安全保障の強化につながる可能性を秘めていることは確かだ。

他方で、重要と思われるもう1つの視点も紹介したい。ロシア・ウクライナ戦争が始まる前に、ドイツとロシアの間では将来的な水素供給が真剣に議論されていた。当初はロシア国内で水素を生産し、既存の天然ガスパイプラインで天然ガスと一緒に混送し、需要地のドイツで分離してエネルギー源として活用することが考えられた（本章「水素が抱える課題」参照）。水素のパイプライン輸送ではパイプに対する腐食（脆化）問題があるが、新しいパイプライン、たとえば今はなき「ノルド・ストリーム」であれば、ある程度の量を問題なく混ぜて輸送できるとされていた。

しかし、その後ガスプロムは方向を転換する。ガスプロムはパイプラインでの水素輸送よりもメタン熱分解（天然ガスから水素と固体炭素を直接生成する方法で、「ターコイズ水素」としてドイツも注目していた）の将来性の高さに着目していることを明らかにしたのである。その理由は、輸送に問題のある水素については、生産地はロシアではなく、需要地に出来るだけ近い場所で生産したほうが好都合であり、そして、天然ガスだけをパイプラインで輸送するほうが改修や分離コストがかからず経済的だというものだった。既存インフラを無駄にすることなく活用でき、輸送コストが低く抑えられ、メタン熱分解では炭素が固体として取り出されることから、温室効果ガスである二酸化炭素を大気中に排出することも避けられる（図5－7）。

このことはドイツにだけ当てはまるものではない。世界に先駆けて1969年からLNGの輸入を開始した日本は、パイプラインについては地域で断絶されているものの、LNG受入れターミナルという成熟したインフラと船舶を含めたバリューチェーン、調達のノウハウをすでに有している。エネルギー源を化石燃料から水素へ代替していく場合、水素キャリアとして利便性の高いアンモニアが注目されるのは当然だが、輸入には新たにそのための専用船とアンモニアを受け入れるターミナルの建設等の莫大なコストが必要となる。

また、生成された水素の運搬等で発生する二酸化炭素については回収し、国内にてCCUS（地下貯留）することができれば、現行の天然ガス（LNG）輸入を継続、既存のイ

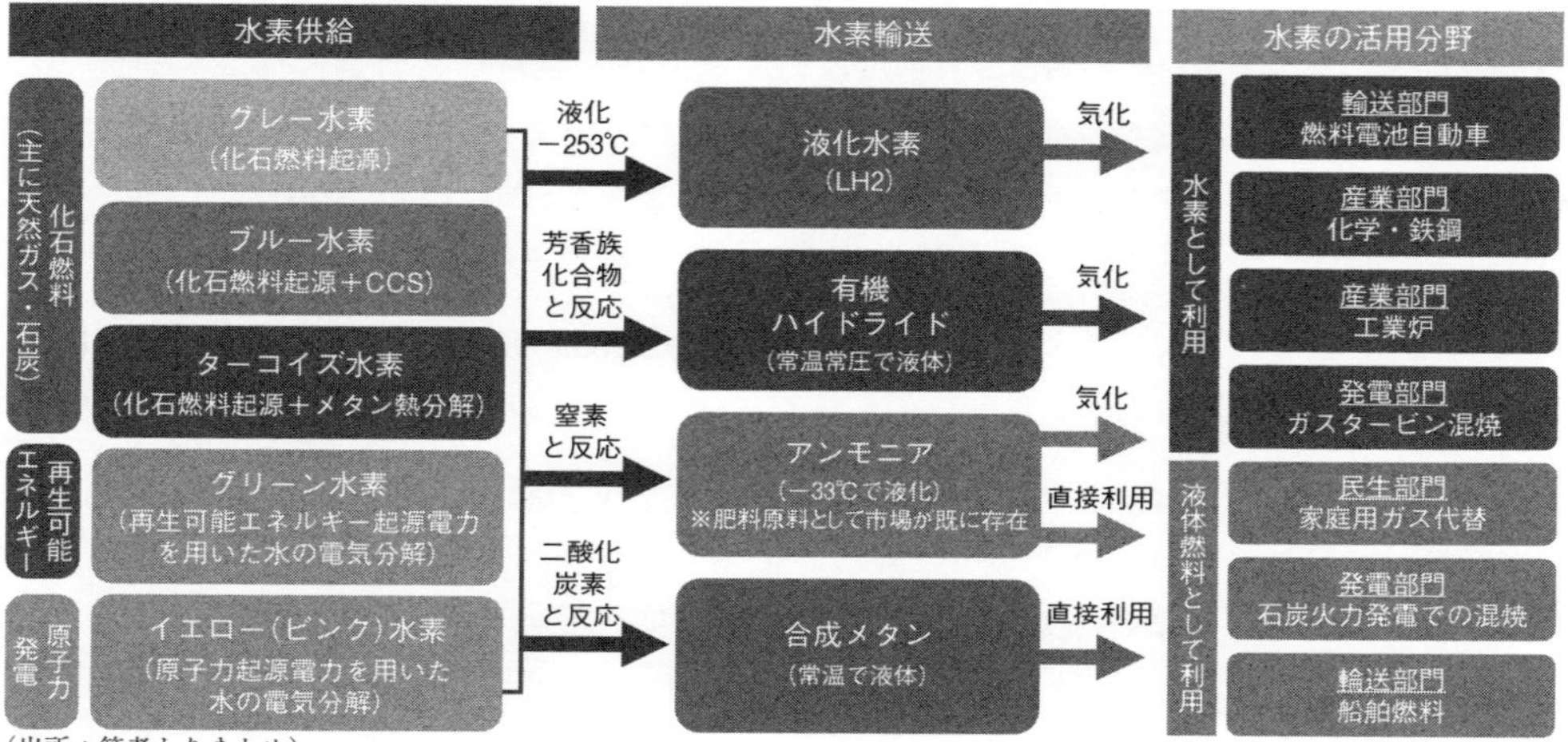

（出所：筆者とりまとめ）

図5－7　検討されている生成方法・起源別水素の種類とその輸送方法

ンフラを活用しながら、ドイツのように国内の需要地に近い場所で水素生産が可能となる。燃料アンモニアの新たなサプライチェーンを構築するよりも迅速かつ安価に水素を日本へ供給できる可能性もあるだろう。

水素調達ソース、ルート、方法においても多様化を進めることがエネルギー安全保障を高めることになるということであり、アンモニアはもちろんターコイズ水素もその選択肢として検討しながら、最も安価かつ大容量の水素調達がいかにできるのかを検討していくことが重要である。

†したたかなロシア――世界最大規模の3つの脱炭素資産

ロシアが世界的注目を集める水素を石油天然ガスに代わるのではなく、それに加わる新たな商品として商機と見ており、そのための長期戦略を立てていることは先に述べた。また、ロシアは炭素排出権市場を確立し、欧州の国境炭素調整メカニズムに対抗するとともに、脱炭素社会実現において世界が必要となるであろう2つの世界最大のポテンシャル（森林吸収とCCUS［二酸化炭素の地下貯留］）の現金化も目指そうとしている。

加えて、ロシアは世界最大の埋蔵量を誇る天然ガスも有している（表5－3）。カーボンニュートラルを急進的に進めようとする人々の中では天然ガスも排除すべきエネルギー

表５－３　脱炭素社会において重要となる３つのポテンシャル
（上位５か国）

順位	天然ガス確認埋蔵量		CCUSポテンシャル (GtCO2)		森林面積	
1	ロシア	19.9%	ロシア	1,213	ロシア	20%
2	イラン	17.1%	中南米	925	ブラジル	12%
3	カタール	13.1%	米国	777	カナダ	9%
4	トルクメニスタン	7.2%	中東	440	米国	8%
5	米国	6.7%	欧州	412	中国	5%

（出所：Energy Institute 統計、Vygon Consulting および林野庁公開資料より作成）

として議論されているが、化石燃料の中で石炭や石油よりも二酸化炭素排出量が少なく（同じ熱量を得るために排出される二酸化炭素の量では石炭の約半分、原油の約７割）、需要地へのインフラ、市場も整っている天然ガスは脱炭素社会実現に向けた移行期のエネルギーとして注目されてきた。

ＩＥＡが２０１１年に世界エネルギー見通しに先立って「私たちはガスの黄金期に入ろうとしているのか？」という特別レポートを出していたことは示唆的であり、依然として記憶に新しい。２０１１年３月に発生した東日本大震災そして福島第一原発事故を受け、原子力に対する不確実性が高まる中、さらに「最もクリーン」な化石燃料として、天然ガスの利用拡大が見込まれるというシナリオが提示された。レポートでは、当然ながら最大の埋蔵量を有するロシアは２０３５年時点で世界の生産量の17％を占める最大の生産国となっていた（最新のシナリオでは２０５０年までの最大の生産国は米国であり、ロシアは第２位で14％となっている）。

ロシア・ウクライナ戦争の勃発とそれに伴う欧露のエネルギー関係の失墜によって、ロシア産ガスの世界供給シェアの減少は免れえない状況となっているが、ディスカウントされたロシア産石油に買いが集まっているように、財政的に追い詰められていくロシアが天然ガスについても対中ガス供給を中心に値下げを余儀なくされることは確実である。西側が石油を禁輸しているにもかかわらず、「友好国」による安価なロシア産原油への買いが殺到することでその輸出が増加しているように、安価なロシア産天然ガスが市場に出てくれば、ロシアが世界市場におけるシェアを回復する可能性も出てくるだろう。

足元ではロシア・ウクライナ戦争によってこれらロシアが保有する脱炭素資産の活用が難しくなっているのは事実だが、今後30年以上かかるであろう脱炭素実現までの長期的戦略の中で、いつかこの戦争が終結すれば、西側諸国もロシアも国際関係を再構築する必要性に迫られることは間違いない。そのときが2050年に近づけば近づくほど、再び注目を集めていくだろう。

†したたかな欧州――ロシア外しとは裏腹に

第1章で述べた、すべての起点としてのウクライナガス供給途絶問題は、ロシアとウクライナに留まらず、欧州連合においてもこれまで加盟国中心だったエネルギー政策を欧州委員会が主導し、共通のエネルギー政策推進に向けた権限の強化をもたらした。

ロシアという「敵」を想定することで、それに対抗すべく欧州全体をまとめる枠組みが構築されてきたのである。以降、２００６年ガス紛争直後に出された政策文書「持続可能で競争力のある安定したエネルギーのためのヨーロッパ戦略」を皮切りに、２０１０年の「エネルギー２０２０」、そして２０１４年の「エネルギー同盟戦略」へと、ＥＵ共通のエネルギー政策が一気に形成・強化されていくことになる。

ロシアをターゲットとしたものとして有名なものに、まさにウクライナガス供給途絶問題勃発の最中の２００７年に公表され、２００９年に採択された、いわゆる「第３次エネルギー（規則・指令）パッケージ」がある。これは、エネルギー産業を活動分野ごとに分離することを義務付けるアンバンドリングを設定して独占を禁止し、パイプラインを含むネットワークを第三者へ開放することで競争を促し、市場を活性化させることによって、需要者に安価なエネルギー供給を実現するというものであり、自由主義経済の長所を体現する非の打ちどころのない施策であった。その一方で、１９６７年の東欧諸国、１９６８年のオーストリアへの天然ガス輸出開始から半世紀以上にわたって構築されてきた欧露エネルギー関係において、ロシア連邦法でもパイプラインによるロシア産天然ガス輸出を独占することが認められている国営ガス企業体・ガスプロムをあからさまにターゲットとするものであった。

欧州におけるロシア離れが加速していく中、ウクライナ経由のインフラを迂回するべく、ロシアが取りかかったのが独露を直接結ぶパイプライン「ノルド・ストリーム」（２０１１年稼働）であり、そして、黒海からイタリアへ延伸する予定だった「サウス・ストリーム（現トルコ・ストリーム）」（２０２０年稼働）である。「サウス・ストリーム」建設計画には、ウクライナ迂回ルート構築のほかに、欧州企業が進めるアゼルバイジャン産天然ガスをジョージア・トルコ経由で南欧へ輸出するパイプライン・プロジェクト「ナブッコ」へ対抗する目的もあった。これらパイプラインの構築と稼働は、最終的にドイツおよびトルコに対して（ドイツに対しては「ノルド・ストリーム」が２０２２年に停止・破壊されるまで）ロシアから通過国のない（つまりトランジット料がかからない）安価なガスをもたらしてきた。

パイプラインだけではない。独占企業ガスプロムに対する批判をかわしながら、欧州諸国から親露国を抽出し、さらにロシアにはまだない技術として天然ガスの海上輸送を可能にし、世界市場へそのシェアを拡大できるＬＮＧ分野と莫大な天然ガス資源が眠るロシア最後の資源フロンティアである北極域開発への足がかりも得るという一挙四得の手として、２０１１年にフランスの石油メジャーであるトタルを純民間でガスプロムに次ぐ生産量を誇る独立ガス生産企業NOVATEKの大株主（19・4％）として迎え、ヤマルLNGプロジェクトを実現している。これによってトタルもまた、NOVATEKが保有する大規模確認埋蔵量176億石油換算バレルというロシア上流ポテンシャルへのアクセスを獲得したのである（図5-8）。

このように欧州連合においては、欧州レベルではロシアリスクを盾にその政策権限の強化を図る一方で、各加盟国にはロシアから安価な天然ガス調達、ビジネス促進、供給ソースとルートの多様化も進めてきた。ロシア外しをすると見せかけながら（実際その方向は維持している）、その競争環境を整えることで最終的には安価な天然ガス資源確保を実現してきたとも言えるのである。

2019年9月、筆者はIEAが欧州連合に対して実施する5年ごとの政策レビューチームのメンバーの一人として、ブリュッセルのエネルギー総局を訪れた。そこで、積年の疑問であった「欧州は結局のところロシア産エネルギーを排除したいのかどうか？」という疑問を投げかけた。担当者の回答は次のようなものだった。「現在のロシア産石油ガスフローへのEUの依存度は依然として高い。他方で、今後も重要な供給者であることに変わりはない。さらに、他の競争者を創り出し、安価なエネルギーを供給させることがEUのエネルギー安全保障に寄与する」。

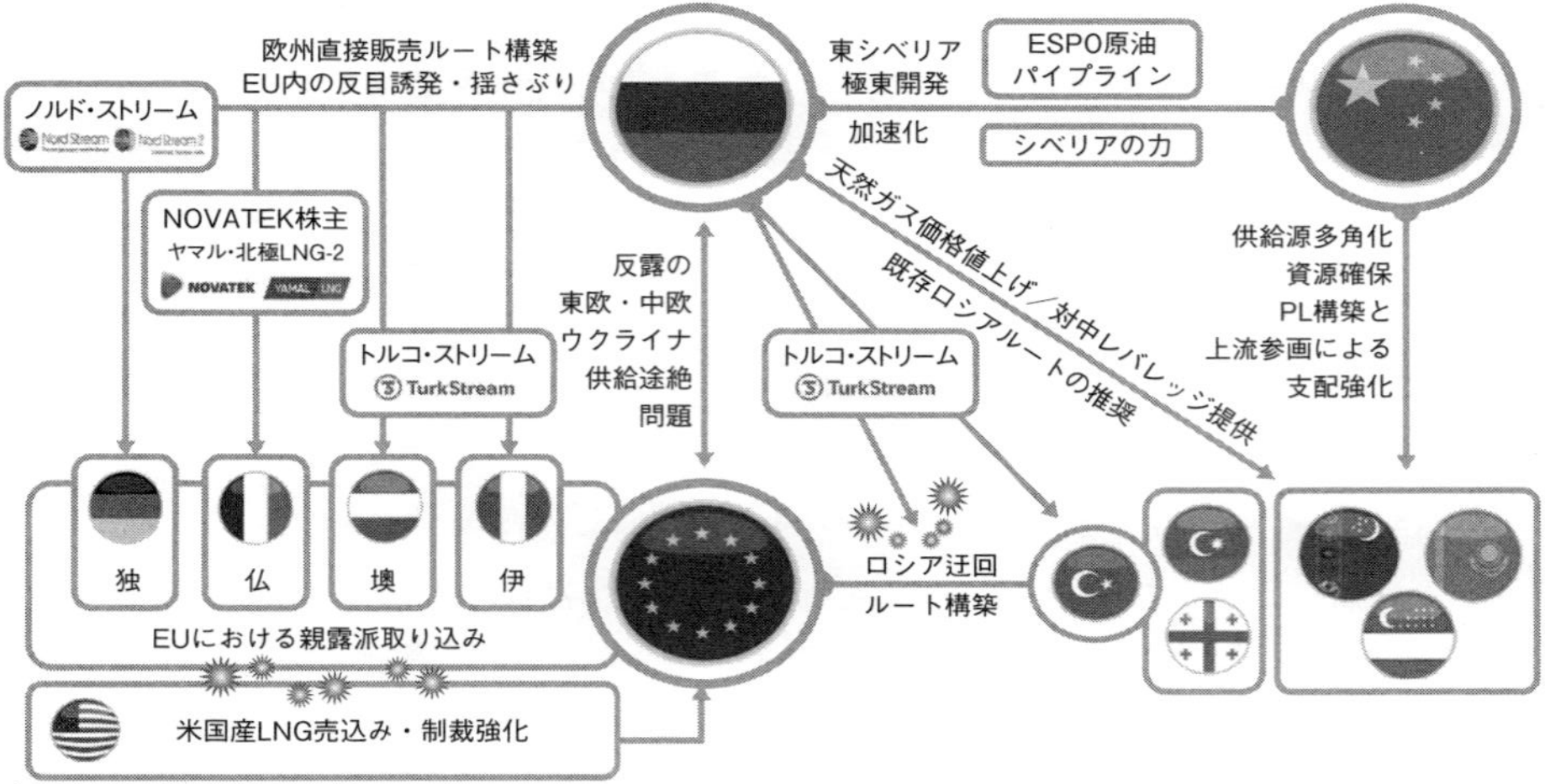

（出所：筆者作成）

図5－8　欧州によるロシア離れとロシアによる欧州諸国等の取り込み

この回答を聞き、感じてきた疑問が氷解し、妙に腑に落ちたことを覚えている。ロシア外しはウクライナいじめに対する感情論等ではもちろんなく、外すような動きを見せかけることで、最終的に安価なエネルギー資源をロシアから引き出すための手段であることを理解したからだ。「他の競争者を創り出す」という点は天然ガスだけに留まらない。欧州発の脱炭素の動き、脱化石燃料、そして現在進む脱ロシアの動きにも関連性を見いだすことができる。欧州にとって脱ロシアは決定解ではなく、契約条件やそのときの情勢といった変動係数によってさまざまな解が導かれる、回答も変わりうるものと考えたほうがよい。

†したたかな産油ガス国――「ダイベストメント」が価格高騰を招く

ロシアが脱炭素を商機と捉えているように、他産油ガス国も同様に石油天然ガスに加わる新たな商品として水素・アンモニア開発に向けて動き出している。脱炭素社会の実現に向けた動きによって、今後どこかのタイミングでまず石油、そして天然ガスにおいてもピークディマンドをもたらす可能性がある。他方で、先に触れたように、石油ガスを使い続ける可能性のある国がまだあることも確かだ。

図5－1に示した通り、世界の約8割の国がカーボンニュートラル実現に向けた宣言を行った一方で、先の「脱炭素は脱化石燃料を意味しない」の項で述べたように、石油天然

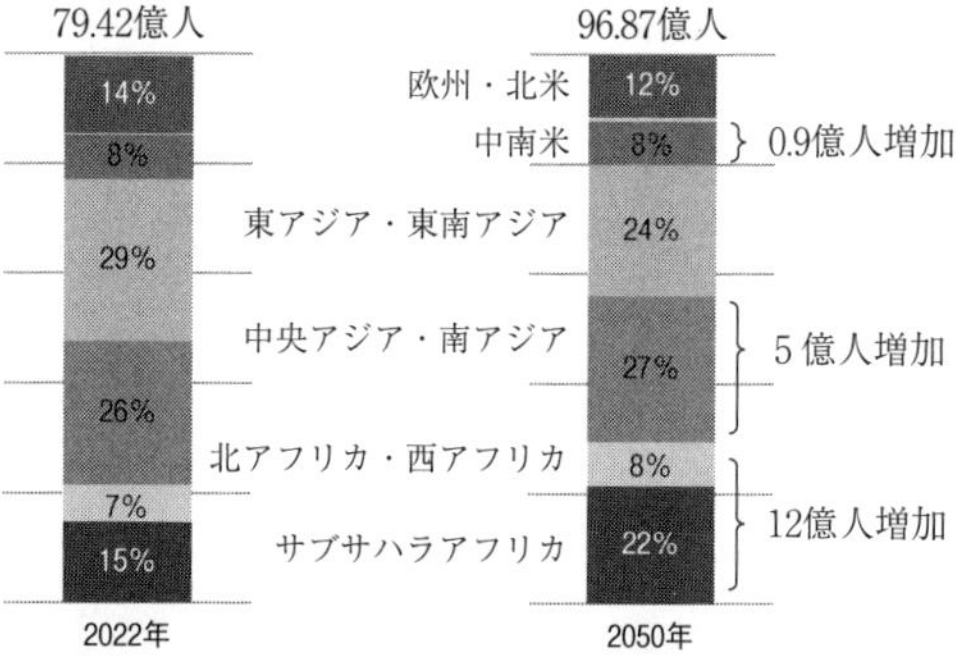

※上記地域のほか、1％未満でオセアニア・大洋州がある（出所：国際連合経済社会局レポートより筆者作成）

図５－９　世界の地域別人口増減の見通し

ガス需要は減少しながらも使用が継続されていく可能性が高い。さらに態度を保留している世界の２割の国がある。国連は２０２２年11月の時点で世界人口は80億人を超え、２０５０年には97億人、２１００年には１０４億人となるという予想を発表した。この態度を保留している２割の国、つまりアフリカ諸国や一部の国を除くアジアの国々が、この人口増加の原動力となることが見込まれている（図５－９）。

これらの国々では人口増加に加え、経済発展も見込まれ、エネルギー消費もそれに比例して増大していくが、高価なエネルギーや電源ではなく、手頃で調達しやすいエネルギー源を使用していくと考えられる。つまり、化石燃料がエネルギーミックス上の第一候補となる可能性がきわめて高く、産油ガス国にとっては簡単に言えば化石燃料を売る顧客の重心が、カーボンニュートラル宣言を行った国から行っていない国に変わり、逆に高価な水素・アンモニアの

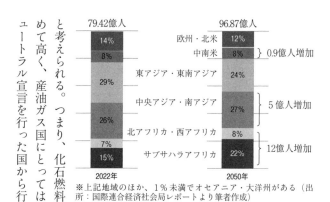

市場を、脱炭素を目指そうとする国々に見いだすということになる。

さらに事態を深刻化させる可能性があるのが、脱炭素の世界潮流の中で生まれた化石燃料上流投資に対する回避行動「ダイベストメント」の動きである。化石燃料投資からの撤退と自然エネルギー投資を促すダイベストメント運動は、2011年から米国の大学の学生運動から始まったと言われている。気候変動問題がクローズアップされる中、世界的に広まり、脱炭素へ向けた各国の意思表明がピークを迎えるCOP26では、米国を含む20か国と欧州投資銀行等の5機関が、2022年末までに国外の化石燃料事業（対象は排出される二酸化炭素に対する対策を施していないもの）への直接的な融資を全面的に停止することに合意している（日本は参加せず）。これまでダイベストメントを表明した年金基金や大学、自治体等は世界で1591に上り、5年間で2倍に増えているほか、運用資産額は約41兆ドルに上るとも言われている。

欧米石油メジャーも、BPが2020年2月にはメジャー企業の中で初めて2050年温室効果ガス排出ネットゼロ目標を設定し、2030年の石油ガス生産量を2019年に比べて4割減らす一方、2020年には5億ドルだった再生可能エネルギー投資を2030年に10倍の50億ドルに増やすというドラスティックな戦略を掲げた。またメジャー各社が2050年までのネットゼロ達成（対象とするスコープ・分野は異なる）と再生可能エネルギー投資拡大を発表している。

国際協調・ビジネスの場でも先進国を中心に条件付きながら化石燃料に対する資金支援を抑制する動きが出ている。COP26の翌年、2022年のG7首脳サミット（エルマウ）では、「地球温暖化に関する摂氏1・5度目標やパリ協定の目標に整合的である限られた状況以外において、排出削減対策が講じられていない国際的な化石燃料エネルギー部門への新規の公的直接支援の2022年末までの終了にコミットする」ことが盛り込まれ、2023年のG7広島サミットでも、「遅くとも2050年までにエネルギー・システムにおけるネット・ゼロを達成するために、排出削減対策が講じられていない化石燃料のフェーズアウトを加速させるというコミットメントを強調し」、さらに「非効率な化石燃料補助金を2025年又はそれ以前に廃止するというコミットメントを再確認」することが盛り込まれた。

脱炭素を目指すことが長期的な戦略である一方で、足元で化石燃料の上流開発に対する投資を抑制すればその結果として、短期的に開発停滞に伴う生産減少と需給逼迫が起こることは想像に難くない。一部の国では化石燃料に対する需要は減少したとしても、2050年までの脱炭素の道筋の中では依然として必要なエネルギー源であるうえ、今後経済発展を遂げていく国にとっては化石燃料需要量も増大していく可能性が高い。

さらに化石燃料の上流投資は発見されなければ投資回収はできないが、見つかればハイリターンを期待できる一方で、大規模な資金調達を必要とするビジネスであることに加え、初期投資からコスト回収が始まる生産開始まで数年から10年程度を要するリードタイムの長さも特徴となっている。つまり、今ダイベストメントされた結果は数年後に需給逼迫とそれに伴う市場価格高騰というかたちで顕在化してくることになる。

このことは、自らはダイベストメントは行わず、自国の上流開発投資を着実に進める産油ガス国にとっては朗報である。たとえば、石油に関してはＯＰＥＣが生産調整を行わなくとも過去数年のダイベストメントによって世界での需給がタイトとなり、今後原油価格は上昇していくことが見込まれるからである。そして、化石燃料起源の水素（ＣＣＵＳと合わせたブルー水素。産油国では二酸化炭素を油層に圧入し、さらに多くの原油を回収する技術〔ＥＯＲ：Enhanced Oil Recovery〕にも活用できる）を新たな商品として先進国に売ることもできる。

このように見てくると、脱炭素への動き、上流投資へのダイベストメントは既存産油ガス国にとっては危機ではまったくなく、逆に追い風という側面があることも分かってくる。脱炭素という世界潮流が抱える課題は、じつはその動きを加速しようとしている先進国とそこに住む人々にさまざまなエネルギー問題として降りかかってくるのであり、その解決が着実に図れるかどうかが脱炭素実現の鍵を握る。そうでなければ、脱炭素という目標は形骸化または空中分解していってしまうリスクもあるだろう。

†脱炭素が単純化するトリレンマとそのしわ寄せ

昨今巷間を賑わす「エネルギーのトリレンマ」という言葉は、日本では自給率（エネルギー安全保障）、経済効率性、環境適合にさらに東日本大震災と福島第一原発事故後にクローズアップされた安全性（Safety）が加わり、S＋3Eとしてすでに長年にわたり、その目標の実現と重要性が取り上げられてきたテーマである。日本だけでなく、その他の国にも当てはまる要素ではあるが、その国の地理的位置や資源ポテンシャルによって、特にエネルギー安全保障と経済効率性については各国特有の事情がある。つまり、これらの要素を同時に成立させる条件もそれぞれの国で異なる。

本章で述べたように新型コロナウィルスの世界的蔓延、そして、その経済復興のカードとして欧州発で始まった脱炭素への世界潮流の醸成というプレッシャーが高まるにつれて、気候変動・環境保全の重要度が大きく増加してきたのが現在の状況と言えるだろう（図5－10）。このことは気候変動への対応を最優先することでトリレンマに対する解決策を単純化することに役立っているとも言えるだろう。3つの要素を同じレベルで成立させるの

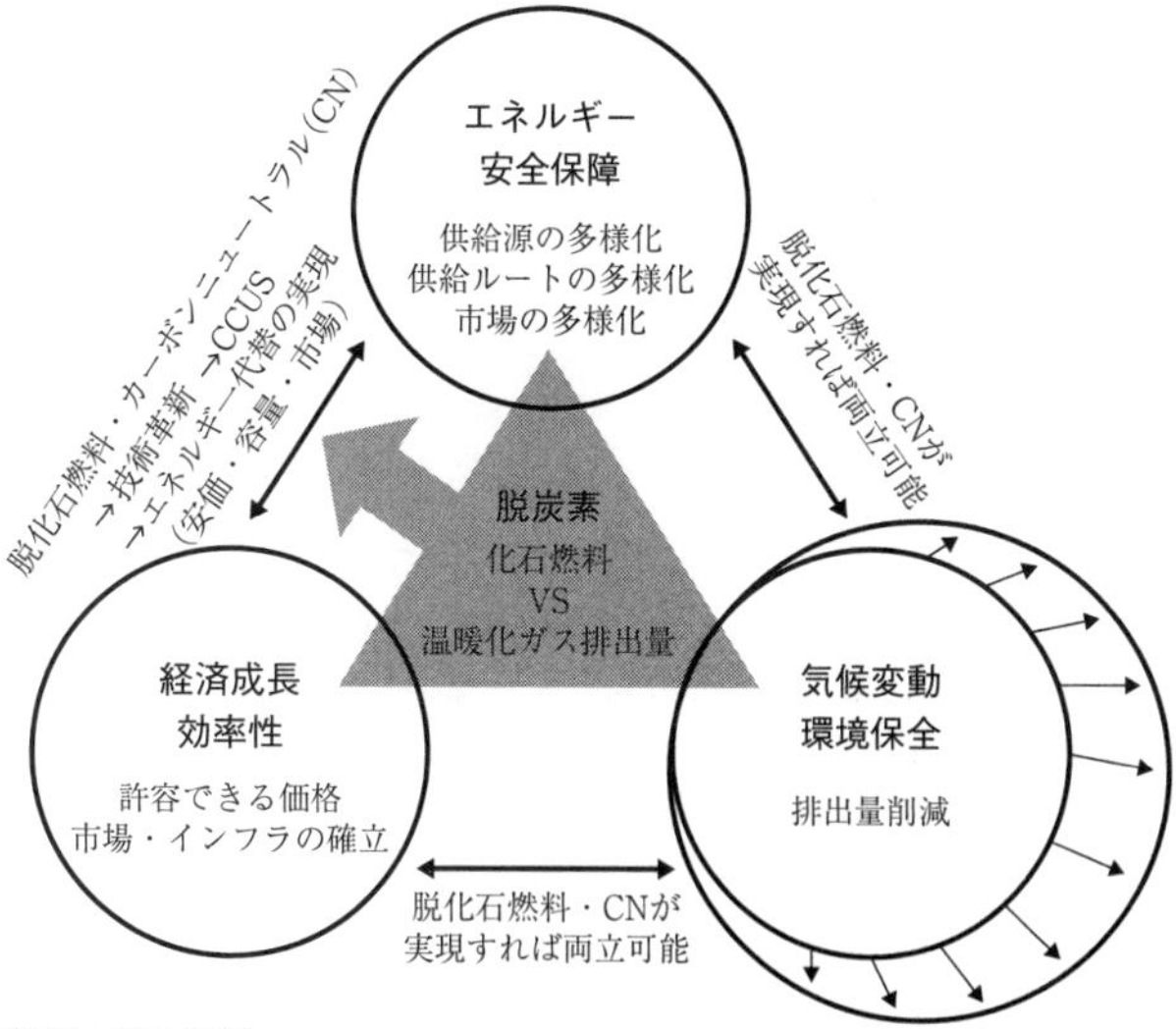

(出所：筆者作成)

図5-10　気候変動・環境保全に重心が移動するエネルギーのトリレンマ

ではなく、脱炭素に重点を置くことで、エネルギー安全保障と経済成長にある程度の犠牲を払うことも容認せざるを得ないということである。

　脱炭素が最重要課題ということであれば、言うは易し、行うは難しだが、その実現には化石燃料に代わるエネルギーの開発と化石燃料を使用する際の二酸化炭素の排出を抑制する方法を確立すればよい。

　化石燃料に代わるエネルギーの開発ということでは、二次エネルギーとしての水素のほか、核融合の商業運転に対する関心も集まっている。また、電化を進め、その電力について二酸化炭素を発生しない再生可能エネルギーについて、その短所である供給の不安定さをカバーする蓄電技術の開発も進められている。後者の二酸化炭素排出抑制方法についてはすでに二酸化炭素の回収・地下貯留（CCUS）や、議論はあるものの森林吸収による相殺等として方法は確立していると言えるだろう。

しかし、現時点ではいずれも既存のエネルギーに対して経済効率性において劣後するという問題を抱えている。特に二酸化炭素を抑制すること自体は利益を生み出す事業活動ではなく、コストに過ぎない。確かに炭素市場の創設や炭素価格、カーボン・クレジットに対する注目が集まっており、それ自体は脱炭素実現にも貢献する仕組みではある一方で、その資金調達原資は基本的にエネルギー資源に求められ、価格に反映されていくことになる。通常の化石燃料使用価格よりも二酸化炭素をCCUSで貯留したエネルギーやカーボン・クレジットという「免罪符」を購入したエネルギーは高くなる。このことはトリレンマの中で経済効率性を実現するうえでの課題となるのに加え、化石燃料に対してクリーンで高価なカテゴリーと在来の脱炭素されていない安価なカテゴリーを分け、差別化を促すことにつながる（すでにカーボンニュートラルLNG・低炭素LNGとして宣伝的にリリースされてもいる）。経済効率性を重視する国であれば、当然ながら後者を選択することになるだろう。

このように見てくると、トリレンマは各国レベルと世界レベルの二層となっていることに気付く。各国の脱炭素に向けた姿勢・努力は不可欠であり、それが世界レベルで反映され一体となったときに初めてこの問題に対する解決の方向性が示されることが期待されるが、事態はそう単純ではない。現実的な問題として、現時点では「脱炭素が世界のコンセンサス」というわけではなく、脱炭素を目指す国においても特に経済成長を犠牲にし、現在のエネルギー消費レベルの生活様式にメスを入れるかどうかの議論にまでは及んでいないのが現状だからである。

終　章

日本の選択

2022年7月、第1回GX(グリーントランスフォーメーション)実行会議を開催する岸田首相
(出所：首相官邸)

新型コロナウィルスの世界的流行に伴う経済停滞、経済復興のカンフル剤としての欧州発の脱炭素政策とその世界潮流への拡大。こうしたエネルギー分野全体に影響を及ぼすようなこれまでにない巨大な波が押し寄せようとしている中でロシア・ウクライナ戦争は発生した。この戦争は、一方では脱ロシアによる脱化石燃料を加速させるベクトルを生み出し、他方では乱高下する資源市場におけるエネルギー安定調達、そして脱炭素に向けたエネルギーミックスの確実な実現という複雑化するリスク・不確実性をはらむ難題を突きつけた。特にエネルギー需要国を中心に、そのエネルギー安全保障のあり方は再考を迫られている。

その中心に中国（全世界の一次エネルギー消費量の26％）、米国（同16％）、インド（同6％）、ロシア（同5％）に次ぐ第5位のエネルギー消費大国であり、そのほとんどを海外からの輸入に頼っている日本（同3％）がいる。日本はエネルギーの一大消費国でありながら、その一次エネルギー供給量に対する国内産エネルギー供給量（原子力も含む）から導かれる自給率は11・3％とOECD諸国の中でも2番目に低いレベルにある（図終－1）。

最終章である本章では、これまで見てきた世界のエネルギー情勢の中で、大消費国である日本にはどのような選択肢があるのか、どのようにエネルギー危機に対応し、どのようにエネルギー安全保障を確立・強化していくことができるのか検討してみよう。

†エネルギー安全保障を高める3つの多様化

そもそもエネルギー安全保障とは、その国に「必要十分な量のエネルギーを合理的・手

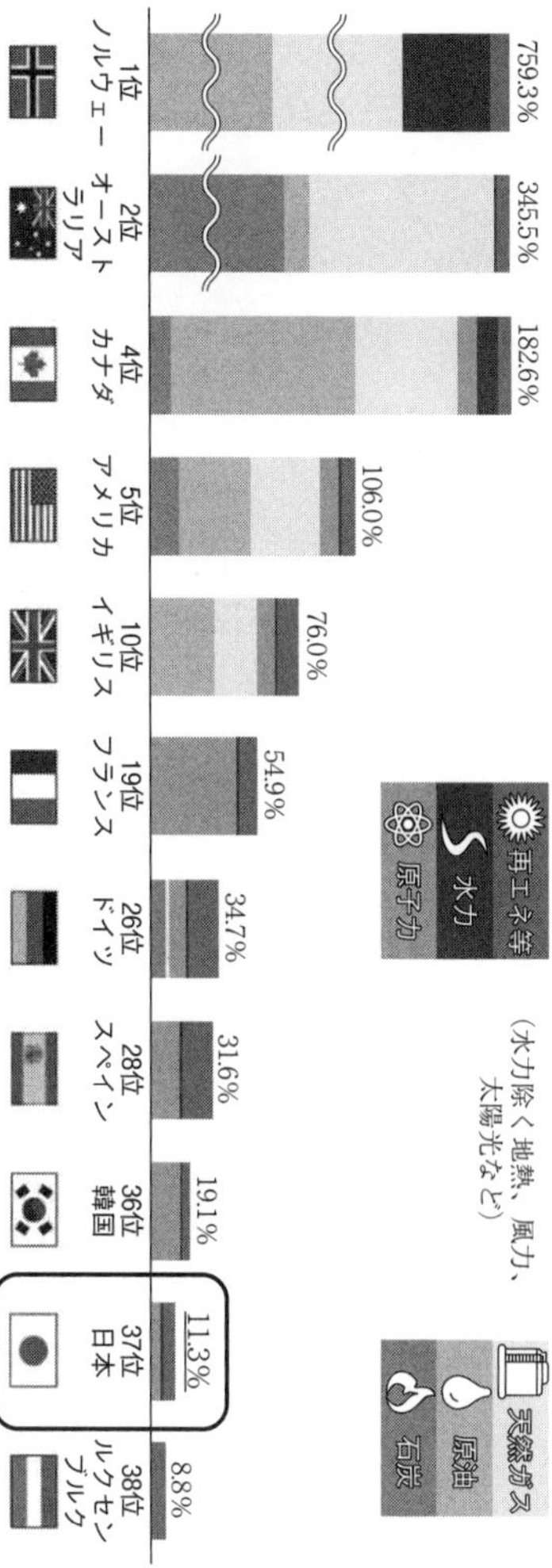

(出所：資源エネルギー庁)

図終－1　主要国の一次エネルギー自給率比較

頃な価格で確保するとともにその確保に当たってはその国家や経済主体が意思決定や外交などの自由度を失わないこと」（小山、2022）とされる。そして、その実現は①エネルギー自給率の向上、②エネルギー供給源の多様化、③供給者との関係安定化、④緊急時対応能力の強化、⑤産業競争力の強化、⑥供給チェーンの安全確保という6つの政策を通じて達成されていく（同）。

1913年、チャーチル海軍大臣（当時）が自国産石炭から石油へと海軍艦隊の動力源を移行する決断した際に語ったという金言、「石油の安全性と確実性（安全保障）は、多様性と多様性だけで決まる（Safety and certainty in oil, lie in variety and variety alone)」に表れているように、エネルギー安全保障強化の根幹に多様化が不可欠であることは論を俟《ま》たない。具体的には3つの多様化、すなわちエネルギー供給源の多様化（自国産エネルギー開発や供給国との緊密な関係強化、国内備蓄も包含する）、エネルギー供給ルートの多様化、そして合理的な価格での資源調達と産業競争力の強化にも資するエネルギー取引の多様化である。

日本は9割弱のエネルギーを海外に依存しており、一次エネルギー供給のうち、原油（37%）の9割以上を中東諸国から輸入している。それに次ぐ石炭（27%）は6割が、3番目の天然ガス（21%）については5割弱がオセアニアからの輸入である（図終-2）。そし

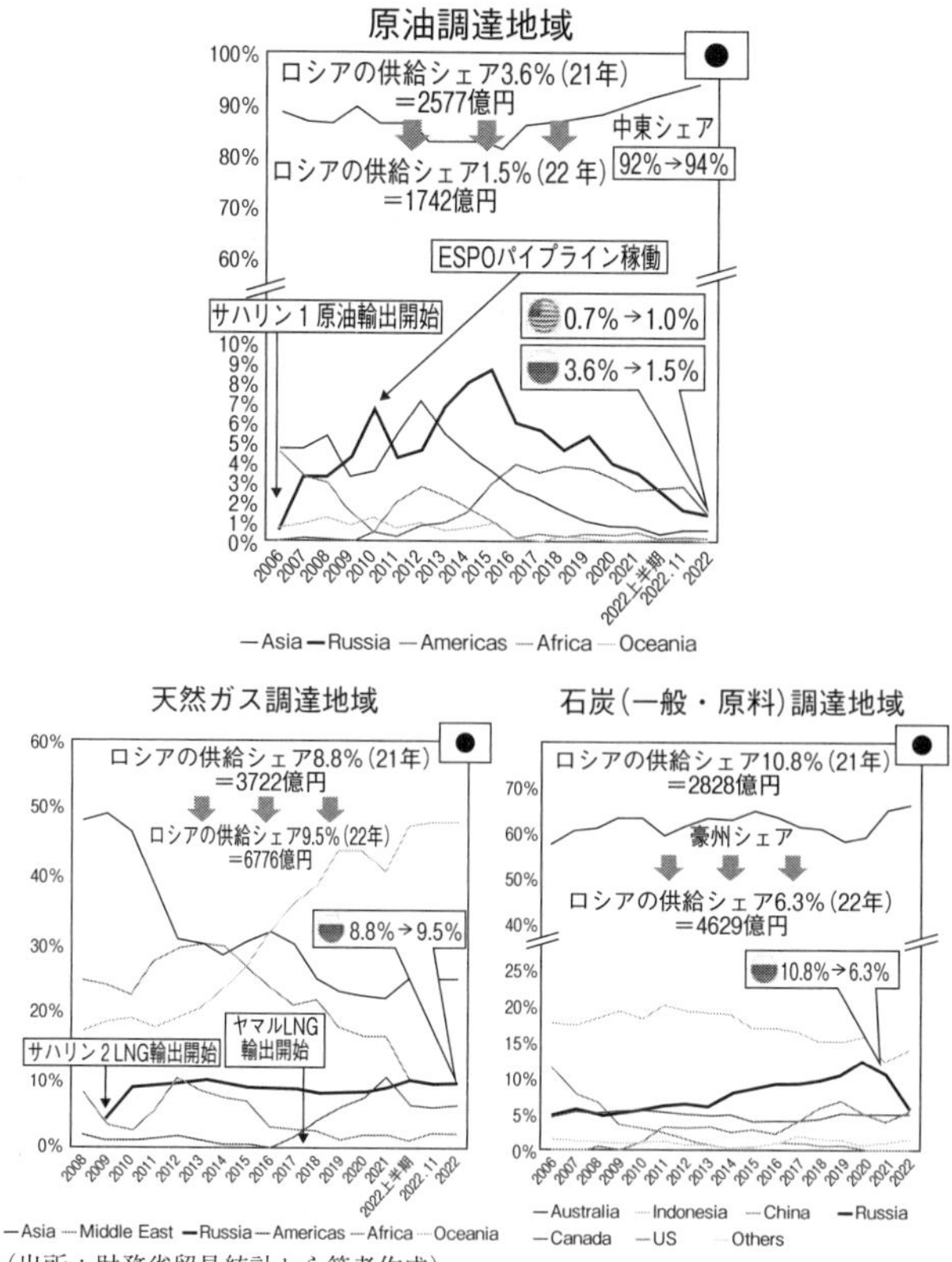

(出所:財務省貿易統計から筆者作成)

図終-2　日本の化石燃料調達国の推移とロシア・ウクライナ戦争前後の変化

て、その海上輸送ルートもホルムズ海峡、マラッカ海峡というチョークポイントに加え、係争海域であり、今後不安定な情勢が懸念される南シナ海および東シナ海を通過している。1970年代の石油危機以降、過去半世紀以上にわたり、さまざまな施策が採られ、試行されてきたにもかかわらず、特に一次エネルギー供給の大宗を占める原油において、3つの多様化の理想的な実現には至っていないことは、いかにこの問題の解決、そしてエネルギー安全保障強化が一筋縄ではいかないかを示している。

第3章「デュアル・サプライ体制を実現したドイツ」で触れたように、ドイツはロシアに依存してきた天然ガス輸入を1年も経たない期間で解消しようとしているが、それはロシア・ウクライナ戦争と「ノルド・ストリーム」の破壊というとてつもない外圧と、LNGというパイプラインよりも相対的に高価なエネルギー源を受容する（経済的にもできる）という判断の下で実現しえたことである。つまり、エネルギー安全保障確保において、ドイツは「手頃な価格」、合理的な価格での資源調達を犠牲にし、脱ロシアによる供給源の多様化を進める道を選択したのだ。

日本においても、ドイツと同じような外圧、たとえば中東情勢不安定化に伴う長期の原油供給途絶や台湾有事のような日本のエネルギー安定供給を直撃するような深刻なインパクトがなければ、そのような劇的な変化は起きえないのかもしれない。他方、経済活動を重視し、できるだけ安価で十分な量のエネルギー源の調達を優先し、経済合理性を追求することと自体は理に適った判断であり決して間違いではないのも事実である。

エネルギー安全保障の確保のためには、経済活動をリードし、方向性を与えるべく、政策面からエネルギー供給源、供給ルート、そして合理的な価格での資源調達と産業競争力の強化にも資するエネルギー取引の多様化が進むよう常に努力していく必要がある。具体的には現在の世界情勢と日本の状況を踏まえたエネルギー政策の立案であり、政府による資源外交の推進をはじめ、日本企業によるエネルギー投資を支援するべく資金・技術・情報それぞれの提供メニューの充実を図り、短期だけではなく中長期の視点に立った多様化を実現していく制度設計を構築・実行していく不断の努力が欠かせない。

†脱炭素もエネルギー源の多様化を促進する

エネルギー安全保障確保の中で、長期的なインパクトを与えていくのは、2050年までの脱炭素実現という新たな潮流である。二酸化炭素排出量の最終的な正味ゼロを目指すべく、高価であろうとも化石燃料に代わるエネルギー（水素・アンモニア利用、再生可能エネルギー拡大および合成燃料開発）へ現状のエネルギーミックスをシフトしていくことは、言い換えればエネルギー源の多様化を進めることにもつながる。

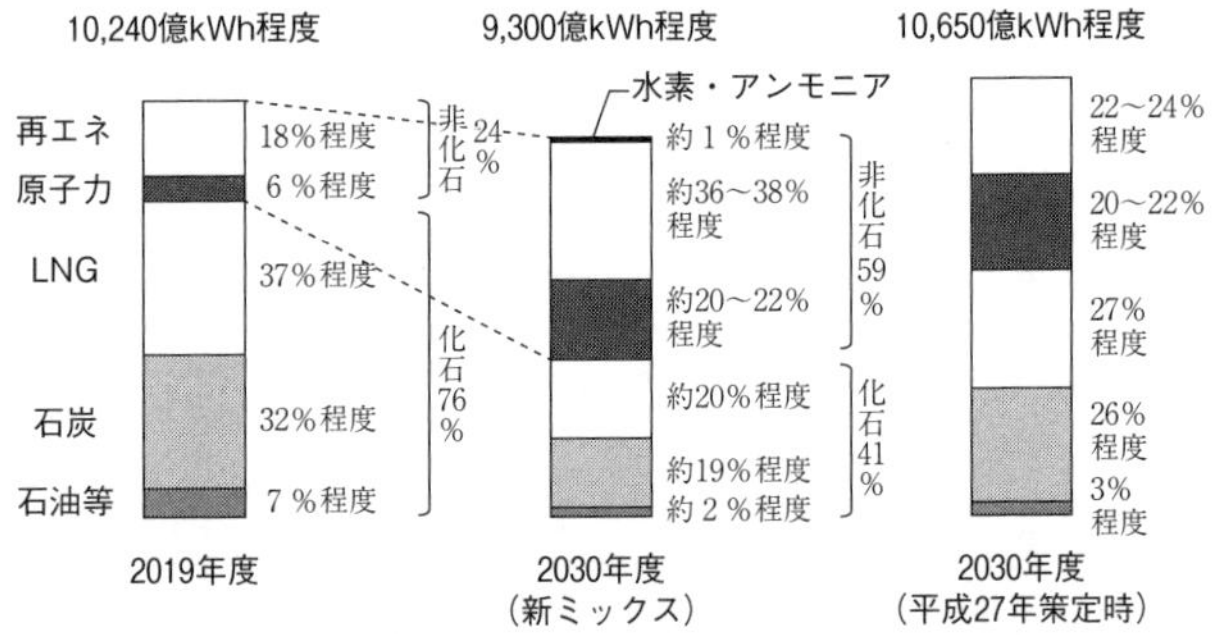

（出所：資源エネルギー庁）

図終－3　第6次エネルギー基本計画で定められた電源構成見通し

ＣＯＰ26開催直前の２０２１年10月22日に閣議決定された日本の第6次エネルギー基本計画では、２０３０年までの目標として、電源構成における再生可能エネルギー（水力を含む）のシェアは２０１９年の18％から36〜38％に、原子力は6％から20〜22％に増加し、さらに水素・アンモニア１％が新たなエネルギー源として加わった。その結果、化石燃料が占めるシェアは76％から41％と約半減する見通しを描いている（図終－3）。２０５０年までの脱炭素に向けた道筋はまだ示されず、この見通し自体も同時並行で巻き起こった脱炭素に向けた世界潮流と圧力がありきの中で、２０５０年にカーボンニュートラルを達成するための途中ポストである２０３０年にはこうあるべきというベースから生まれたという印象も否めない。しかし、その「圧力」は確かに電源構成を変えることでエネルギーミックスの多様化を生み出そうとしている。

この計画はロシア・ウクライナ戦争が起きる直前に策定されたものである点にも留意が必要だろう。これまで見てきたように、ロシアによるウクライナ侵攻は石油市場と天然ガス市場それぞれに激震を引き起こすトリガーとなった。石油市場では欧米制裁によるロシア産石油禁輸措置の発動であり、日本はロシア産石油について、LNG供給途絶を回避すべく、サハリン2が輸出する原油「サハリン・ブレンド」以外については2022年5月に年内の石油禁輸を表明し、12月5日から禁輸を発動した結果、その輸入量は2021年の3・6%から2022年は1・5%に減少している。天然ガスについては欧米の禁輸対象とはなっていないが、ロシアが演出する価格高騰のあおりを受け、2021年の輸入額（3722億円、輸入シェア8・8%）に比べ、2022年は約1・8倍の6776億円（同シェア9・5%）を記録している。

結果として、日本は原油調達では中東依存度をさらに上昇させ、天然ガス調達総額においては、東日本大震災に伴う原発停止とLNGの大規模調達により過去最大に膨らんだLNG輸入額（2014年に7・9兆円を記録）をさらに更新し、2022年は8・4兆円となった。このことは、脱炭素が進もうとも化石燃料がある一定のシェアを占めていくことが予想される中で、資源高に起因する貿易赤字拡大を抑制し、国富流出を防ぐべく、早急に対応策を練り、実行していく必要があることを示している。原油については中東以外のロシアを代替する供給源の開発であり、天然ガスについては、原油同様にロシア代替源はもとより、その契約形態においても価格を決定する要素（市場、価格を算定するためのフォーミュラ、長期契約・スポット）の多様化が必要であることを再認識しなければならない。

また、脱炭素の世界潮流によって各国は莫大な予算を投下し、その分野における技術開発を進め、現時点では化石燃料に対する経済優位性のない低炭素燃料を安価に獲得できるよう動き出している。その技術革新は現在のエネルギー生産国と需要国の地図を塗り替える可能性もある。

たとえば、太陽光や風力、水力に恵まれた国々がこれら再生可能エネルギーからの安価な電力供給と技術革新によって淡水化された海水等から電気分解によって水素を生産する。そして現時点ではきわめてエネルギーを要しコストも高い、空気中から直接二酸化炭素を分離・回収するＤＡＣ（Direct Air Capture）技術が安価に活用できるようになれば、生産された水素と回収した二酸化炭素から現在の化石燃料に代わる合成燃料（ｅ－ケロシン等そのまま航空燃料やガソリンとして使用可能）を製造することができる。実際に実証プロジェクトもチリやタスマニアで進められており、今後数年間で生産も開始する計画となっている。

問題は、現時点では化石燃料起源の燃料に対しては競争力がなく、政府による補助金やカーボン・クレジット、脱炭素実現のための各国の政策に依存しなければビジネスとしては成り立たない点である。しかし、技術革新によって安価な再生可能エネルギー起源の電力とDAC技術が確立すれば、風況や太陽光に恵まれたフィリピンやアフリカ諸国、風力発電が盛んな欧州が新たな燃料生産国・産油国として台頭してくるかもしれない。もちろん海に囲まれ、洋上風力発電ポテンシャルの高い日本にもその可能性があるということだ。

†日本が進むべき道

世界が史上初のエネルギー危機の真っ只中にある現在の状況は、日本にとってエネルギー安全保障を再検討する貴重なチャンスでもある。資源を持たない日本が進むべき道は、いずれにせよエネルギー供給源、供給ルート、そしてエネルギー取引の多様化を進めることに集約されていく。多様化という言葉は経済合理性と相容れないがゆえに、理想的なかたちで実現することには困難を伴ってきた。その意味では使い古された言葉ではある。しかし真理であり、エネルギー安全保障の要であることは確かである。

多様化という船体とともに、ゴールに向けて方向を定める羅針盤が欠かせない。2050年の脱炭素実現に向け、長期的かつ限定的な時間の中で、日本が経済活動を維持し、国民の生活水準を守るために必要となるエネルギーの絶対量の推移について、そして脱炭素に向けたエネルギーミックスの再構築に従って、海外からどの程度のエネルギーをエネルギー源ごとに調達するのかということを理解する必要がある。

脱炭素への道のりは、特にエネルギー安全保障と経済効率性は各国特有の事情があるため、それぞれの国で異なる。脱化石燃料は脱炭素に向けた方法ではあるが、経済成長とエネルギー安全保障を両立する中では一朝一夕にはいかず、化石燃料の中でも環境負荷の低い天然ガスを「移行期のエネルギー（Transition Energy）」として活用することや二酸化炭素を空気中に出さずに温暖化を防ぐ方法であるＣＣＵＳやＤＡＣ、水素に関してはターコイズ水素の活用も選択肢として想定しながら、２０５０年を目指して最適解に向け前進していかなくてはならない。

これらを前提としながら、日本が脱炭素に向けた航海を進めるうえで留意すべき重要な点として、マクロ・ミクロにわたって次の５つを指摘したい。

†(1)脱炭素ゲームの勝者

脱炭素がトリレンマを単純化することを許容するのであれば、脱化石燃料に向け本腰を入れた政策の立案が求められる。それはすでに、欧州連合では２０１９年からの欧州グリーンディールとウクライナ侵攻後の「REPowerEU」として、米国では２０２２年の「インフレ削減法」として莫大な政府予算とともに具体化が進んでいる。

欧州では前述の通り、新型コロナウィルスからの経済復興を目指す目的で多年度財政枠組み（2027年まで）と欧州復興基金によって約1・8兆ユーロ（約270兆円、うち1兆ユーロがエネルギー関連）、米国はインフレ削減法によって3690億ドル（約50兆円）やそれに先立って成立したインフラ投資・雇用法（1・2兆ドル規模）の中でも気候変動対策費が盛り込まれている。日本でも2023年2月に「GX（グリーントランスフォーメーション）実現に向けた基本方針」として閣議決定され、経済産業省は今後10年間で150兆円超の官民GX投資を実現・実行していくことを提案している。

誤解を恐れずに言えば、気候変動に対する対策が絶対正義であるのは確かだが、盛り上がりを見せる脱炭素に向けた世界潮流とはカーボンニュートラルという大きなビジネスの地平にほかならず、そのビジネスの中で勝者・敗者が生まれる世界規模のゲームとも言えるだろう。水素のような高価なエネルギー、それだけではコストにしかならないCCUSのように、脱炭素実現のコアとなっていく分野に対して、各国は政策立案を行い、莫大な補助金を投下しようとしている。その真の目的は、脱炭素の実現という最終目標はもちろんのこと、世界で必要とされるエネルギー技術や脱炭素実現に向けた技術革新を企業で競争させ、開発し、発展させていくことで、国際競争力のある脱炭素産業を育てていくことにほかならない。

このゲームにおいて勝者と敗者の別は明らかであり、それはエネルギー安全保障強化を達成できるかどうかに直結する。つまり、そのような脱炭素実現のコアとなるエネルギー、そして技術を売る側が勝者であり、買う側になれば敗者となるということだ。

この壮大なゲームの中では、日本は大消費国・需要者として、エネルギーについてはまず買う側にある。他方で、日本企業がすでに有する脱炭素に向けた技術開発を支援・促進させ、その技術を海外に売り込むこともできる。日本はＧＸ関連技術のポテンシャルも大きい。年金積立金管理運用独立行政法人（ＧＰＩＦ）が発表した「２０２１年度ＧＰＩＦポートフォリオの気候変動リスク・機会分析」によれば、企業が有するＧＸ関連の特許スコア（特許数を特許出願時の引用数、他の特許との関連性、出願国のＧＤＰ等で重み付けした値）では韓国、ドイツを抜いて日本が最も高いとされている。この分野での競争において日本はポールポジションをすでに取った有利なスタート位置にある。他方、欧米は巨額資金を投じてその位置を奪いに来ようとしており、日本政府も官民を挙げて、この競争に打ち勝つべく努力していく必要がある。

また、日本における技術革新は、先に述べたように再生可能エネルギー起源の電力とＤＡＣ技術の組み合わせが現在のエネルギー生産国と需要国の地図を大きく塗り替え、需要国であった日本が燃料生産国となる可能性を実現していくことにもつながる。

(2)脱炭素に空中分解のリスクはないか

前項と矛盾するように思われるかもしれないが、我々は脱炭素という世界潮流が変容していないかどうかにも常に注意を払わなければならない。気候変動対策、そしてその柱である温室効果ガスの削減が人類に示された使命であることに疑いはない。そして、その先に有限である化石燃料に依存する社会が、人類すべてが享受できる環境負荷のない持続可能な化石燃料代替エネルギーを開発していくことを目指すべきである。しかし、その理想を目指しながらも厳しい目で現実を見る必要がある。

第５章「したたかな産油ガス国」で触れたように、世界人口は増加の一途を辿ることが予想され、アフリカ諸国やアジアの国々は今後経済発展を迎えながら人口が増加していくことになる。彼らが先進国にとっても既存エネルギーよりも割高な水素を使用するとは想定できず、不安定な再生可能エネルギーでは経済活動も限定されてしまう。

２０２２年に開催されたＣＯＰ27において南北問題が中心議論の１つとなったように、これから経済発展を期待する国々からすれば、脱炭素という流れが、先進国が謳歌してきた炭素排出による経済繁栄を自分たちは謳歌できないという不平等なものに映るのは当然である。もちろんそれらの国々を「誰一人取り残さない」ことが重要であり、COP27で合意された成果である「シャルム・エル・シェイク実施計画」では「損失と損害」基金の設立を決定してもいる。

しかし、これら施策が順調に実装されたとしても、化石燃料に代わるエネルギー密度が高く、扱いやすく、安価で、サプライチェーンが確立しているエネルギーが確立されていくには依然不確実性がつきまとう。そのようなエネルギー代替にはタイムラグが生じていく可能性も十分予想できるだろう。

年々増加していく人口によって化石燃料の需要は今後も伸びていき、それに伴う二酸化炭素排出量は各国の莫大な人的努力・資金投下にもかかわらず、増えていくというシナリオも十分にありうる。COP26という盛り上がりの中で脱炭素宣言を行った国のいくつかがやがて離脱していく可能性も否定できない。そのとき、世界は、そして日本も再度脱炭素に対する姿勢を問われることになるだろう。

重要なことは、脱炭素という疑いない正義は堅持する一方で、脱炭素一本足打法にならず、不測の事態も常に想定しておくことである。脱炭素はエネルギー供給源の再考を促し、結果的には多様化に資すると述べたように、もし全世界が脱炭素でまとまらず、脱炭素の世界潮流が瓦解していくような事態が生じても日本のエネルギー安全保障強化に向けた方針の根幹は揺るがない。他方で、脱炭素ゲームの中で買う側に立つもの（水素・アンモニア調達、カーボン・クレジット）や巨額の資金投入を行うGX投資の中では見直しを迫る動きが出てくる可能性があることを今から予見しておくことは重要である。

(3)価格高騰防衛策・供給源多様化のための上流投資の継続

現在の石油市場、そして天然ガス市場を揺るがしている激震は、COP26前後の盛り上がりの中で、ひと飛びの勢いで脱炭素が実現できるだろうという雰囲気に冷や水を浴びせ、各国の目を覚まさせる効果もあった。

石油天然ガス市場が大生産国ロシアの思惑によって、多大な影響をこうむる不安定さを抱えていることは、今や誰の目にも明らかとなった。このことから脱ロシアを契機として脱化石燃料を加速させる動きも欧州では見られているが、LNGの新たなインフラ確立と供給契約という高いコストで実現したドイツをはじめ、化石燃料需要は減少するとしても、少なくとも中長期にわたって、調達が必要なエネルギー源であることも認識されつつある。

そのことは、2023年5月に開催されたG7広島サミットでの首脳コミュニケでも「排出削減対策が講じられていない化石燃料のフェーズアウトを加速させるという我々のコミットメントを強調し、他国に対して我々と共に同様の行動を取ることを呼びかける」

とされ、排出削減対策の有無による差別化が図られたことにも表れている。

特に天然ガスについては「ＬＮＧの供給の増加が果たすことのできる重要な役割を強調するとともに、ガス部門への投資が、現下の危機及びこの危機により引き起こされ得る将来的なガス市場の不足に対応するために、適切であり得ることを認識する」とされた。また、「各国のエネルギー事情、産業・社会構造及び地理的条件に応じた多様な道筋」を認識することでも合意に至ったことも重要な点である。

日本には純粋な大消費国としての投資を継続する義務もあるとも言えるだろう。石油消費では世界第5位、天然ガス消費では世界第7位、ＬＮＧ輸入については中国と並んで世界の5分の1を占める規模である。

脱炭素に向けた道筋が各国で異なるのは当然であり、その中で最も懸念されることは、脱炭素実現という時限目標だけが先行し、その期限を守ることだけに重点が置かれ、エネルギー移行プロセスがおざなりになって、経済活動や人々の生活に支障が出かねないような事態に陥ることであり、さらに脱炭素実現へのうねりがダイベストメントという急進的な動きとなって顕在化してしまうことである。

人類が依然として必要とする化石燃料の十分な供給を満たすためには全世界で継続的な探鉱投資が不可欠であり、足元のダイベストメントは数年後から中長期にわたって生産減少による需給逼迫とそれに伴う市場価格高騰というかたちで顕在化してくることを忘れてはならない。

†(4)G7、特に米国との連携強化

ロシア・ウクライナ戦争の勃発を受けて、日本は国際社会の一員として欧米諸国と迅速に足並みを揃え、侵攻から3か月後にはロシアの財政の本丸である同国産石油の禁輸措置にまで踏み込んだ。そこには日本がエネルギー安全保障におけるロシアの重要性を理解しながらも、国際法を無視するロシアの暴挙に対して、毅然とした態度を世界に示すことが国際社会における日本の国益を守るうえでより重要だとする判断がある。

足元での対応では国際社会と足並みを揃え、ウクライナ危機が何らかの決着を見るまで、侵攻されたウクライナにとっての情勢が好転する環境を整えるべく、制裁を強化・継続する必要があることは論を俟たない。一方において、やみくもに欧米制裁に追従するのではなく、制裁の効果と実効性、日本への影響分析は不可欠だろう。たとえば、日本企業が保有するエネルギー権益については、撤退すれば、その権益がロシアやロシアの「友好国」に再分配されるだけであり、逆に権益を死守することこそがロシアを利さないということもありうる。こうした冷静な分析が欠かせない。

日本も西側制裁に参加せず、インドや中国のように国際価格から大幅に値引きされたロシア産石油を買えばよいという、目先の利益を追求し、米国追従型の日本のあり方を問う声もある。しかし、それはきわめて狭い視野の見方であろう。そもそも、もし日本が欧米とは一線を画し、ロシアによるウクライナ侵攻に対して沈黙すれば、インドがロシア産石油から得ている泡銭とは比べられないほどの負の影響を日本にもたらしたはずである。それはこれまで戦後長年にわたって築いてきた欧米諸国との協力関係の崩壊の始まりであり、とりわけ米国との安保関係を含む同盟の破綻に拡大していく可能性につながった。そして、その延長線上には台湾有事・東シナ海有事も控えている。

中国は今回のロシア・ウクライナ戦争を台湾侵略のケース・スタディと考えていると見て間違いないだろう。米国は「一つの中国」政策を堅持しており、ロシアとウクライナの関係における条件とは異なるが、もし中国が台湾に侵略した場合に、G7諸国がどのような対応をとるのかについて、今回のロシア・ウクライナ戦争を見ながら研究しているはずである。第2章で分析したような厳しい制裁が発動されなければ、あるいは今後対露制裁を弱めるような動きが出てくれば、台湾侵攻に対する中国の背中を押すことになるかもしれない。また、もし日本が制裁に参加しなければ、G7は足並み揃わずと見られ、さらに日米の関係も悪化することになり、北東アジアにおける中国の覇権政策をさらに助長させることにつながるだろう。

２０２３年３月、岸田総理はキエフ（キーウ）を電撃訪問した。Ｇ７の中で戦場から最も離れた日本の首相がウクライナを訪問したことはＧ７・欧州連合との結束においても重要な意味を持つ。いつ来るかもしれない台湾有事においても、戦場から離れた欧州連合の関心が薄れないように結束を示すことができたからである。時奇しくも同じタイミングで、中国の習近平国家主席が第３期に入る最初の外遊としてモスクワを訪問していたが、中露の間ではロシアが欲する、中国によるウクライナ東部４州の編入承認、武器の供与、そして欧州ガス市場を代替する中国との長期ガス供給契約締結のいずれも成就せず、西側とウクライナの連携と中露の関係とのコントラストを際立たせるイベントとなった。

さらに米国は今やエネルギー大消費国であるだけではなく、エネルギー輸出国である。シェール革命によって今後短期的には米国産原油および天然ガスの２割程度の生産増大が見込まれており、その恩恵はすでに脱ロシアを進める欧州が享受し始めている。この戦争の背後に米国のしたたかな戦略はまったくないとも言い切れないが、今後日本にとっても、新たな供給ソースの１つとして注目されるのが米国であることは事実である。メキシコ湾だけでなく、太平洋に面した資源の宝庫であり、日本が最初にＬＮＧを輸入したアラスカも今後再び脚光を浴びる地域になる可能性を秘めている。

(5) 戦後を見据えた視点——対露戦略をいかに再構築するか

ロシア・ウクライナ戦争が終息の兆しが見えてこず、第4章では戦争も制裁も長期化すると述べたにもかかわらず、戦後について話を持ち出すことは不適切と思われる読者もいるかもしれない。しかし、戦後を見据えた視点もきわめて重要である。戦争は開戦すれば終戦の方向へベクトルが働いていく。それはいつになるのかは分からないが、実現したときを見据えて、ロシアとの関係をどうするのか、対露戦略をいかに再構築するべきなのか、その中で日本の国益をいかに最大化できるのかについて、今から検討しておくべきだろう。

日本は北方領土返還を軸に日露外交関係をさまざまなかたちで築き上げてきた。だが、2018年11月のシンガポール首脳会談での「二島先行返還」への日本の舵切りに対して、ロシアは翌2019年1月から日本が受け入れがたい複数の条件（主権問題、戦後賠償問題および日米安保問題）を主張し始めた。ロシア・ウクライナ戦争とそれに対する対露制裁発動より4年前のこの時点で、日露関係は振り出しに戻っていたと考えてもよいだろう。

そのような経緯を踏まえたうえで、対露関係に関する現状認識において、日本が留意すべき点は複数ある。

まず、ロシアはもはやこれまでのロシアではなくなったという大きな変化を理解しなくてはならない。それは経済関係を重視し、日露協力関係を深化させてきた際の暗黙の前提であった、国際商業慣行を守るパートナーという信頼を失ってしまったということである。その信用の回復には長い時間を要するであろうし、ロシアが自らを省みる姿勢を示して初めて日露協力について再び議論するスタート地点が見えてくる。

一方で、石油禁輸まで踏み込まれ、欧州の脱ロシア加速の結果としておもに中国市場へ安価なエネルギー供給を志向せざるを得ないロシアは、財政の要であるエネルギー収入が縮小していくことは避けられず、今後長期にわたって弱体化していくことが見込まれる。そのようなロシアの弱体化が、日本を含む北東アジアにおいてどのようなパワーバランスの変化をもたらし、そうした国際情勢の変化の中に日本の国益を最大化するどのような機会があるのかを常に分析する必要がある。弱体化し、国際的に孤立しながら中国への偏重に苦しんでいくロシアが日本に対し秋風を送ってくる状況が、今後必ず生まれてくるからである。

日本は世界の脱炭素に向けた潮流の中で、2050年に向けたカーボンニュートラル宣言を行い、化石燃料、とりわけ二酸化炭素排出量の多い石炭、石油の代替、移行期のエネルギー源としての環境負荷の低い天然ガスの確保、新エネルギーとしての水素の調達、そして、大気中に放出する二酸化炭素を回収・地下に貯留するCCUSポテンシャルと森林吸収源の確保が急務となっている。ロシアはこの中で、天然ガス埋蔵量、ＣＣＵＳポテンシャル、森林面積において、それぞれ世界最大の資産を有しているということはこれまで見てきた通りである。脱炭素社会に向けて世界が舵を切れば切るほど、ロシアが保有するこれらアセットの世界的な重要性は増していくことになる。今後弱体化していくことが見込まれるロシアが有するこれらアセットを、日本はいかに利用していくことができるのか。こうした視点を今から検討していくことは、日本の国益に必ずや寄与するだろう。

あとがき

人類の歴史は、火を使い始めた第一次エネルギー革命によって発展し、木材から石炭と蒸気機関への転換という第二次エネルギー革命が産業革命につながり、電気と石油天然ガスを組み合わせた新エネルギーシステムが第三次エネルギー革命をもたらした。

電気を作り出す電源は多様化し、主力である化石燃料による火力発電に加え、水力、原子力、そして再生可能エネルギーに広がっている。今、私たちがいる世界はこの歴史の最先端にあって、第二次・第三次エネルギー革命の立役者であった化石燃料を脱することができるのか、そして第四次エネルギー革命をもたらすことができるかどうかという問いを突き付けられている。世界が気候変動という共通課題でまとまろうとしたその矢先、ロシア・ウクライナ戦争が勃発し、世界全体に波及するエネルギー危機への引き金を引くことになった。

本書では、世界のエネルギー情勢が現在どのような危機にあり、その事態に対して日本はどのように対応すべきか、トリガーとなったロシア・ウクライナ戦争の背景と影響を軸に説明を試みてきた。エネルギーという広範な分野を扱うに当たっては、紙数の限界と注目すべき焦点の取捨選択から触れるには至らなかった点や深く踏み込むことができなかったテーマの枚挙には暇《いとま》がない。しかし、目次で示された内容は筆者が特に読者の方々へ今お伝えしたいエッセンスの集合体でもある。情報がエネルギーすべての事象をカバーしきれていないという欠点等、すべてのご叱正を甘受しつつ、本書がエネルギー情勢を理解するうえで少しでも役に立つのであれば望外の喜びである。

筆者は1997年にJOGMEC（独立行政法人エネルギー・金属鉱物資源機構）前身の石油公団に入団し、これまで石油天然ガス上流開発事業に携わってきた。図らずも2006年からはその重心をロシアにおけるプロジェクト開発・情報分析に置き、現在に至っている。化石燃料を支持する派閥の人間と思われる読者の方もいるかもしれない。本文を読まれると分かる通り、気候変動対策が人類に示された使命であることは論を俟たないが、現在の私たちの生活水準を維持するためには、ある一定の期間、一定量の化石燃料の使用は依然不可欠という考えを筆者は支持している。

では本書の内容は化石燃料寄りの議論や結論になっているのではと懸念される方もいるだろう。脱炭素とは脱化石燃料に直結し、再生可能エネルギーや水素・アンモニア、核融合といった新たなエネルギーは化石燃料を駆逐していくものと見なされやすいことがその背景にある。化石燃料、特に石油天然ガス分野に長年携わると、これら化石燃料の競合相手への嗅覚も鋭くなる。はたして話題に上る新たなエネルギーが本当に化石燃料を駆逐しうる能力・ポテンシャルを持っているのか、エネルギー生産に当たって技術的・経済的にどの程度差があり、化石燃料がどの程度優位にあるのか、その結果、あと何年・何十年で化石燃料を代替し、一次エネルギー供給や電源構成におけるシェアを伸ばしていくのか。このような疑問に色眼鏡や偏った見方ではなく、シビアに答えを出さなければならない。化石燃料の将来を最も厳しく見ているのはその産業に携わっている人間なのである。

本書はこのような視点で書かれたものであり、現下のエネルギー情勢について、中立・客観的な視点から分析を行うように心がけたものであることを繰り返させていただきたい。

エネルギーとは私たちの経済活動を維持し、日常生活を豊かにするうえで不可欠の存在である。それは特に日本のようにある程度豊かで、十分なエネルギー消費を享受できる国では、空気や水のように当たり前の存在となってしまい、問題が起きない限りは、残念ながら人々の注目をなかなか集めることができないテーマでもある。

今、世界が経験しているエネルギー危機は、すでに電気ガス料金の大幅な値上げというかたちで私たちの生活に顕在化し始めている。終章でも触れたように、世界エネルギー危機は、エネルギー大消費国かつ対外依存度がきわめて高い日本にエネルギー安全保障に注目する貴重な機会を与えているとも言える。

そのような中で、筑摩書房の田所健太郎さんから筆者の人生で最も長い、丁寧な手書きのお手紙をいただき、本書を世に出すチャンスをいただいた。編集期間では拙い初稿にもかかわらず、細部にわたってアドバイスいただき、本書に深みを持たせることができた。筆者にとっても大変勉強になる時間となった。心より御礼申し上げたい。

エネルギー地政学の日本における第一人者である日本エネルギー経済研究所の小山堅専務理事におかれては、きわめて多忙の身でいらっしゃるにもかかわらず、本書の事前のレビューを快諾してくださった。内容について貴重なご指摘をいただき、自らの認識の浅さを改めることができた。

また、筆者がロシアの石油ガス産業について知見を深めるうえでの目標であり、上司であり、先生である本村眞澄氏にもプライベートな時間を割いていただき、本書に不足する洞察や視点についてご教授いただいた。

お二人のご助言と教えがなければ、本書を世に出すことはできなかった。重ねて感謝申し上げたい。本書に書かれた内容・見解については筆者の個人としてのものであり、不備や不完全な認識があれば、それはすべて筆者の責任である。

最後に家族（妻・イリーナ、長男・真周、長女・ゆのな）、そして内外の友人たちにも感謝の言葉を記したい。わが家の日常では日本にありながらスラヴ文化に日々触れる機会があり、家族と友人とのつながりが筆者の見方に偏りのない視点を与えてくれている。

特に妻・イリーナはロシア・ウクライナ戦争の開始直後から反戦の意思を示すことにためらいもなく、ロシア人としてウクライナ人の側にも立ち、開戦後急増してきた筆者の業務を理解し、プライベートの時間が犠牲となることも受容してくれた。異国の地・日本での生活に加え、祖国にはもう簡単には戻れないストレスの中にもかかわらず、家族を常にサポートしてくれている。

いつかこの戦争が終わり、すべての人に平安が訪れることを、そして、家族で再び故郷ノヴォシビルスクを訪問できる日が来ることを心から祈念している。

2023年7月

原田大輔

推薦の辞

細野哲弘

吾が「同僚」であり、ロシア、ユーラシア問題では「師」でもあった原田大輔氏が日ごろの思いと考えをまとめた本を上梓するというので、イチもニもなく「推薦の辞」を書くことを引き受けた。送られてきた稿の中身を読んで、その判断が誤りでなかったことを確信した。

私は、彼とともに働いたＪＯＧＭＥＣ（独立行政法人エネルギー・金属鉱物資源機構）を去る3月末に退任したのであるが、在任中の最大の思い出の一つに、緊迫するロシアによるウクライナ侵攻のまさに一週間前に彼が発表したレポートがある。

その結論は、「諸々の要素はあるものの、総合的に考えてロシアがここでウクライナに攻め入ることは不合理であり、非現実的である」とするものであった。私は、上司としてあらかじめこれを読んで、論旨は尤《もっと》もであると思い、ＪＯＧＭＥＣのＨＰに掲載することにゴーサインを出したのだが、現実はその真逆になったのはご承知の通り。その後、当該レポートをＨＰから削らず掲載し続けたことを、ある筋から咎められるようなことにもなったのであるが、「結果的には当たらなかったが、考慮すべき点は詳《つまび》らかにし、合理性、専門性を旨としてあのように結論付けた。今でも自分が間違えたとは思っていない。間違えたのはむしろ露大統領の方だ！」と悔しさを滲《にじ》ませた彼の姿を今も鮮明に覚えている。その後、「なぜ予想が当たらなかったのか、もう一度論考し直したい」という彼の申し出にOKを出したものの、懸念する向きもあり、些《いささ》かのプロセスを踏むことになった。意を決して発表された再論レポートは多くの筋から極めて高い評価を得て、幅広い注目を集め、JOGMEC調査レポートとしては前例のないほどのアクセス数を記録した。

彼の挙げた論点を、ここで紹介することはしない。本書を読まれた方々にはすでに自明のことだからである。エネルギーは、経済官庁である経済産業省（資源エネルギー庁）の所掌する分野であるが、同省やJOGMECに勤務する者は、エネルギー問題を単なる経済問題とは認識していない。歴史、外交、場合により政治・軍事の要素をも加味しながらの対応を求められる経済安全保障全般にかかわるイッシュウであるとの思いを抱いて、事に当たっている。頭を柔らかくして事態を見つめ、未来に繋がる対応を探ることが求められる。原田氏の著作には、エネルギー問題が孕《はら》む広く、深い課題の様相が注意深く巧みにちりばめられている。

改めて言うまでもなく、国土が狭隘（世界二〇〇か国余のうち六一番目）で、エネルギー資源に乏しく（エネルギー自給率一一パーセント）、その癖に図体《ずうたい》がデッカイ（人口一一番目、GDP世界三位）国を支えるには、エネルギー・資源を安定的にして安価に確保することが不可欠である。近年は、これに安全性確保（災害耐性を含む）、気候変動問題対策が大きな考慮要因として加わり、より総合的な視座を求められるようになっている。

氏は問いかける。「万能の理想的なエネルギーはあるのか？」、「脱炭素は脱化石燃料を意味するか？」、「水素・アンモニアは二次エネルギー性を克服できるか？」、「『化石燃料が水素の乗り物である』とはどういう意味か？」、「海外の安い再生エネルギー電力を使えば『水素は電気の乗り物になる』とはどういう意味か？」、「エネルギーの脱ロシアはどこまでできるのか？」など、こうした素朴でありながら核心を突く問いかけを繰り返しながら、一筋縄ではいかない複雑な問題を丹念に解きほぐしていく。氏はこれらにつき、実証的なデータを土台として、具体的なトピックをわかりやすく巧みに取り上げながら、一般の人にも肌身で分かるように筆を進めている。

結果として、エネルギー事情、経済問題を素材にしつつ、読者に現下の国際政治、歴史、そして何より国柄をわきまえた「頭の巡らし方」について考えさせる絶好の読み物になっている。

私は、ゆえにこの書を推奨するものである。

二〇二三年七月

（ほその・てつひろ　前 独立行政法人エネルギー・金属鉱物資源機構理事長／元 資源エネルギー庁長官）

ロシア大統領府（21.02.2022）'Заседание Совета Безопасности' http://kremlin.ru/events/president/news/67825
ロシア大統領府（14.02.2022）'Встреча с главой МИД России Сергеем Лавровым' http://en.kremlin.ru/events/president/news/67766
※このほか、ロシア大統領府、政府各省庁の公式発表資料、関係企業のプレスリリースを原典として参照している。

Lenta.ru（10.01.2021）'Мечты срываются «Газпром» теряет 1,5 триллиона рублей и рискует сорвать поставки газа в Китай на миллиарды долларов' https://lenta.ru/articles/2020/05/28/the_power_of_lies/
РБК daily（05.08.2020）'Арендатор «Фортуны» не будет участвовать в стройке Nord Stream 2 Кто будет достраивать газопровод, до сих пор не известно' https://www.rbc.ru/economics/05/08/2020/5f2947989a79473b28dc8f97
Коммерсантъ（03.03.2022）'Санкции добрались до экспорта газа Проекты и поставки НОВАТЭКа страдают от ограничений' https://www.kommersant.ru/doc/5239547
Коммерсантъ（01.09.2022）'Shellотчалила с Сахалина Компания выходит из «Сахалина-2» и обдумывает иск к РФ' https://www.kommersant.ru/doc/5538040
ロシア大統領府（25.04.2023）'Указ о временном управлении некоторым имуществом' http://kremlin.ru/acts/news/70986
Коммерсантъ（04.04.2023）'Shell прорубляется к выходу' https://www.kommersant.ru/doc/5913587
ロシア大統領府（27.12.2022）'Указ о применении специальных экономических мер в топливно-энергетической сфере в связи с установлением некоторыми иностранными государствами предельной цены на российские нефть и нефтепродукты' http://kremlin.ru/acts/news/70196
ロシア連邦政府命令書（第3910-p号）（14.12.2022）'Распоряжение Правительства Российской Федерации от 14.12.2022 № 3910-р' http://publication.pravo.gov.ru/Document/View/0001202212140026
ロシア連邦大統領令（第520号）（05.08.2022）'Указ о применении специальных экономических мер в финансовой и топливно-энергетической сферах в связи с недружественными действиями некоторых иностранных государств и международных организаций' http://en.kremlin.ru/acts/news/69117
ロシア連邦政府令（第1808号）（12.10.2022）'Постановление Правительства Российской Федерации от 12.10.2022 № 1808 "О мерах по реализации Указа Президента Российской Федерации от 7 октября 2022 г. № 723"' http://publication.pravo.gov.ru/Document/View/0001202210130034
ロシア連邦政府令（第1566号）（06.09.2022）'Постановление Правительства Российской Федерации от 06.09.2022 № 1566 "Об утверждении критериев, которым должно соответствовать российское юридическое лицо - участник отбора, проводимого в целях осуществления продажи доли в уставном капитале общества с ограниченной ответственностью "Сахалинская Энергия"'：http://publication.pravo.gov.ru/Document/View/0001202209060012
ロシア連邦大統領令（第520号）（05.08.2022）'Указ о применении специальных экономических мер в финансовой и топливно-энергетической сферах в связи с недружественными действиями некоторых иностранных государств и международных организаций'：http://kremlin.ru/acts/news/69117

英国政府：https://www.gov.uk/government/news/uk-and-coalition-partners-announce-price-caps-on-russian-oil-products
カナダ政府：https://www.canada.ca/en/department-finance/news/2023/02/g7-and-australia-expand-russian-oil-price-cap-to-petroleum-products-further-reducing-russias-revenues.html

ロシア外務省（17.12.2021）'Treaty between The United States of America and the Russian Federation on security guarantees'：https://mid.ru/ru/foreign_policy/rso/nato/1790818/?lang=en
https://mid.ru/ru/foreign_policy/rso/nato/1790803/?lang=en&clear_cache=Y
ロシア外務省（17.02.2022）'Press release on submitting a written reaction to the US response concerning security guarantees'：https://www.mid.ru/en/foreign_policy/news/1799157/
ロシア中央銀行統計：http://www.cbr.ru/eng/statistics/macro_itm/svs/
※このほか、各国の政府公式発表資料、関係企業のプレスリリースを原典として参照している。

3　ロシア語資料
ЭНЕРГЕТИЧЕСКАЯ СТРАТЕГИЯ: Российской Федерации на период до 2035 *года*
（*УТВЕРЖДЕНА распоряжением Правительства Российской Федерации от 9 июня 2020 г. № 1523-р*）http://static.government.ru/media/files/w4sigFOiDjGVDYT4IgsApssm6mZRb7wx.pdf
ДОЛГОСРОЧНАЯ ПРОГРАММА РАЗВИТИЯ: производства сжиженного природного газа в Российской Федерации
（*УТВЕРЖДЕНА распоряжением Правительства Российской Федерации от 16 марта 2021 г. № 640-*）
Коммерсантъ（05.08.2019）'НОВАТЭК перебежал «Газпрому» Европу'　https://www.kommersant.ru/doc/4052442
Коммерсантъ（21.09.2019）'«Нафтогаз» рассчитал стоимость транзита российского газа на пять лет'　https://www.kommersant.ru/doc/4101598?query=%D0%93%D0%B0%D0%B7%D0%BF%D1%80%D0%BE%D0%BC
Новая газета（09.04.2020）：'«Россию просто уберут с рынка»Почему нам лучше о чем-то договориться с Саудовской Аравией? Отвечает Михаил Крутихин' https://novayagazeta.ru/articles/2020/04/08/84795- rossiyu-prosto-uberut-rynka
Коммерсантъ（13.04.2020）'Чтобы это не качалось Россия идет на крупнейшее в истории сокращение добычи нефти'　https://www.kommersant.ru/doc/4320694
РБК daily（17.04.2020）'В Минэнерго предложили не делать исключений при снижении добычи в России Кого обяжут участвовать в новой сделке ОПЕК+' https://www.rbc.ru/business/17/04/2020/5e997e879a79475fbe2064b4

米国政府：https://www.whitehouse.gov/briefing-room/statements-releases/2022/05/08/g7-leaders-statement-2/
米国財務省：https://home.treasury.gov/policy-issues/financial-sanctions/recent-actions/20220909_33 および https://home.treasury.gov/system/files/126/cap_guidance_20220909.pdf
https://home.treasury.gov/policy-issues/financial-sanctions/recent-actions/20221122
https://home.treasury.gov/policy-issues/financial-sanctions/recent-actions/20221122
https://home.treasury.gov/news/press-releases/jy1141
欧州委員会：https://ec.europa.eu/commission/presscorner/detail/en/statement_22_3391
官 報：https://eur-lex.europa.eu/search.html?whOJ=NO_OJ%3D153%2CYEAR_OJ%3D2022&DB_COLL_OJ=oj-l&lang=en&type=advanced&qid=1654310788444&SUBDOM_INIT=ALL_ALL https://ec.europa.eu/commission/presscorner/detail/en/ip_22_5989
官報：https://eur-lex.europa.eu/legal-content/EN/TXT/?uri=OJ:L:2022:259I:TOC https://ec.europa.eu/commission/presscorner/detail/en/ip_22_7468
Q&A：https://ec.europa.eu/commission/presscorner/detail/en/qanda_22_7469
官報：https://eur-lex.europa.eu/legal-content/EN/TXT/?uri=OJ:L:2022:311I:TOC
英国財務省：https://www.gov.uk/government/news/uk-and-allies-announce-price-cap-of-60-on-russian-oil
カナダ財務省：https://www.canada.ca/en/department-finance/news/2022/12/g7-and-australia-move-forward-with-price-cap-on-russian-oil.html
ドイツ政府：https://www.bundesfinanzministerium.de/Content/EN/Downloads/G7-G20/2022-09-02-g7-ministers-statement.pdf?__blob=publicationFile&v=7

【石油製品価格上限設定に関する各国発表資料】
欧州委員会：https://ec.europa.eu/commission/presscorner/detail/en/ip_23_602
ガイダンス：https://finance.ec.europa.eu/system/files/2023-02/guidance-russian-oil-price-cap_en.pdf
Q&A：https://finance.ec.europa.eu/system/files/2023-06/guidance-russian-oil-price-cap_en.pdf
米国財務省：https://home.treasury.gov/policy-issues/financial-sanctions/recent-actions/20230203_33
ガイダンス：https://home.treasury.gov/system/files/126/price_cap_guidance_combined_20230203.pdf
一般ライセンス（56A）：https://home.treasury.gov/system/files/126/russia_gl56a.pdf
一般ライセンス（57A）：https://home.treasury.gov/system/files/126/russia_gl57a.pdf

「欧州の気候中立に向けた水素戦略」に関する情報：https://energy.ec.europa.eu/index_en#eu-hydrogen-strategy
「全ての人のためのクリーンプラネット――繁栄的で現代的、競争力のある、気候に中立的な経済のための欧州の長期戦略的ビジョン」：https://ec.europa.eu/commission/presscorner/api/files/attachment/856608/2_LTS_IndustrialTransition.pdf
ドイツ連邦「国家水素戦略」：https://www.bmwk.de/Redaktion/EN/Publikationen/Energie/the-national-hydrogen-strategy.pdf?__blob=publicationFile&v=6
「欧州クリーン水素アライアンス」に関する情報：https://ec.europa.eu/growth/industry/policy/european-clean-hydrogen-alliance_en
BCG サイト：https://www.bcg.com/publications/2020/how-an-eu-carbon-border-tax-could-jolt-world-trade
Global Fossil Fuel Divestment Commitments Database：https://divestmentdatabase.org/about/
The Oxford Institute for Energy Studies, 'The OPAL Exemption Decision: a comment on the CJEU's ruling to reject suspension,' September 2017：https://www.oxfordenergy.org/wpcms/wp-content/uploads/2017/09/The-OPAL-Exemption-Decision-a-comment-on-CJEU%E2%80%99s-ruling-to-reject-suspension.pdf
The Oxford Institute for Energy Studies, 'The New Deal for Oil Markets: implications for Russia's short-term tactics and long-term strategy,' April 2020：https://www.oxfordenergy.org/wpcms/wp-content/uploads/2020/04/Insight-67-The-New-Deal-for-Oil-Markets-implications-for-Russias-short-term-tactics-and-long-term-strategy.pdf?v=24d22e03afb2
The Oxford Institute for Energy Studies, 'EU Hydrogen Strategy A case for urgent action towards implementation,' July 2020：https://www.oxfordenergy.org/wpcms/wp-content/uploads/2020/07/EU-Hydrogen-Strategy.pdf
トルコ政府（21.08.2020）'Turkey has discovered the largest-ever natural gas reserve of its history in the Black Sea'：https://www.tccb.gov.tr/en/news/542/121868/-turkey-has-discovered-the-largest-ever-natural-gas-reserve-of-its-history-in-the-black-sea-
Alexander Gabuev（2023）, 'What's Really Going on Between Russia and China Behind the Scenes, They Are Deepening Their Defense Partnership,' *Foreign Affairs*, No.6, 2023.
米国財務省外国資産管理局（OFAC）（14.04.2023）'Publication of Alert on Possible Evasion of the Russian Oil Price Cap'：https://ofac.treasury.gov/recent-actions/20230417

【石油価格上限設定に関する各国発表資料】

G 7 共同声明：https://www.mofa.go.jp/mofaj/files/100328857.pdf

html
本村眞澄（2006）「ロシアの欧州へのガス輸出政策――ウクライナとの係争の背景とその波紋」（JOGMEC）https://oilgas-info.jogmec.go.jp/_res/projects/default_project/_project_/pdf/0/200/0601_out_j_ru_export_gas_price.pdf
同（2010）「ロシア・ウクライナ他：大水深掘削技術で注目される黒海の石油開発」（『石油・天然ガスレビュー』2010年11月号）https://oilgas-info.jogmec.go.jp/_res/projects/default_project/_project_/pdf/3/3696/201011_069t.pdf
同（2014）「ロシアの石油・ガス開発は欧州市場とともに発展してきた」（『石油・天然ガスレビュー』2014年11月号）https://oilgas-info.jogmec.go.jp/_res/projects/default_project/_project_/pdf/5/5400/201411_001a.pdf
同（2018）「米国による追加対露制裁とノルド・ストリーム２への影響」（『石油・天然ガスレビュー』2018年１月号）https://oilgas-info.jogmec.go.jp/_res/projects/default_project/_project_/pdf/8/8080/201801_031a.pdf
財団法人エネルギー総合工学研究所（1992）『新エネルギーの展望　水素エネルギー』
※上記のほか、報道情報（ロイター、Bloomberg、時事、AFP、共同、Interfax、Prime、International Oil Daily、Platts 等）を参照している。

2　英語資料

IEA, World Energy Outlook 2022：https://www.iea.org/reports/world-energy-outlook-2022/executive-summary
IEA, 'WEO Special report: Are we entering a golden age?'：https://www.iea.org/reports/weo-special-report-are-we-entering-a-golden-age
IEA, World Energy Investment 2023：https://iea.blob.core.windows.net/assets/54a781e5-05ab-4d43-bb7f-752c27495680/WorldEnergyInvestment2023.pdf
United Nations, World Population Prospects 2022：https://www.un.org/development/desa/pd/content/World-Population-Prospects-2022
BP 統計：https://www.bp.com/en/global/corporate/energy-economics/statistical-review-of-world-energy.html
Energy Institute 統計：https://www.energyinst.org/statistical-review
米国エネルギー省エネルギー情報局（EIA）統計：https://www.eia.gov/dnav/pet/pet_move_impcus_a2_nus_EPP0_im0_mbblpd_a.htm
Bordoff, Jason & O'Sullivan, Meghan L.（2023）, 'The Age of Energy Insecurity: How the Fight for Resources Is Upending Geopolitics,' *Foreign Affairs Report*, No.5, 2023.
Yergin, Daniel & Gustafson, Thane（1993）, *Russia 2010: What It Means for the World*, Random House.
「エネルギーシステム統合に関する EU 戦略」に関する情報：https://ec.europa.eu/commission/presscorner/detail/en/fs_20_1295
「欧州グリーンディール」に関する情報：https://ec.europa.eu/info/strategy/priorities-2019-2024/european-green-deal_en

同（2021a）「ロシア・中国：「シベリアの力」対中天然ガスパイプライン稼働から１年。価格、稼働実績、アムール GPP の進捗、新たに検討されている「シベリアの力 - 2」構想の現況を振り返る」（JOGMEC）https://oilgas-info.jogmec.go.jp/info_reports/1008924/1008958.html
同（2021b）「ロシア：欧米制裁下でも建設進む Nord Stream 2（続報）：ナヴァルヌィ事件がもたらした影響と米国制裁無効化に成功しつつあるロシア政府と Gazprom」（JOGMEC）https://oilgas-info.jogmec.go.jp/info_reports/1008924/1008999. html
同（2021c）「ロシア：Nord Stream 2（続報）：米政府はパイプライン建設差し止め⇒稼働条件交渉へ変化。米独両政府が８月末までに稼働に向けた道筋で妥結の見通し」（JOGMEC）https://oilgas-info.jogmec.go.jp/info_reports/1008924/1009093. html
同（2022a）「ウクライナ情勢：ロシアによるウクライナ侵攻という通説の裏にあるロシアの真の意図は何か」（JOGMEC）https://oilgas-info.jogmec.go.jp/info_reports/1009226/1009276.html
同（2022b）「ウクライナ情勢：ロシアによるウクライナ侵攻について」（JOGMEC）https://oilgas-info.jogmec.go.jp/info_reports/1009226/1009293.html
同（2022c）「ウクライナ情勢：ウクライナ侵攻と制裁によって変わるロシア産石油天然ガスフロー」（JOGMEC）https://oilgas-info.jogmec.go.jp/info_reports/1009226/1009327.html
同（2022d）「ロシア：サハリン２プロジェクトを対象にロシア法人への移管を求める大統領令を発出」（JOGMEC）https://oilgas-info.jogmec.go.jp/info_reports/1009226/1009403.html
同（2022e）「（短報）ロシア：サハリン２に関する新ロシア法人設立の政府令を発出」（JOGMEC）https://oilgas-info.jogmec.go.jp/info_reports/1009226/1009433.html
同（2022f）「（短報）ロシア：サハリン１を含む外国企業が保有する燃料エネルギー産業等の指定会社株式に関連する取引を年末まで禁止する新たな大統領令を発出」（JOGMEC）https://oilgas-info.jogmec.go.jp/info_reports/1009226/1009439.html
同（2022g）「Nord Stream 及び Nord Stream 2 におけるガス漏洩事故発生とこれまでの経過」（JOGMEC）https://oilgas-info.jogmec.go.jp/info_reports/1009226/1009533.html
同（2022h）「G７、EU 及び豪州がロシア産石油禁輸に併行して60ドルの価格上限設定を発動」（JOGMEC）https://oilgas-info.jogmec.go.jp/info_reports/1009226/1009566.html
同（2023）「「前例なき」対露制裁：これまでの経緯、注目される事象とその影響」（『石油・天然ガスレビュー』2023年１月号）https://oilgas-info.jogmec.go.jp/review_reports/1009607/1009608.html
舩木弥和子（2019）「ベネズエラ：米国政府による対 PDVSA 制裁とその影響」（JOGMEC）https://oilgas-info.jogmec.go.jp/info_reports/1007679/1007734.

同（2020a）「原油市場他：OPEC 及び一部非 OPEC（OPEC プラス）産油国での減産措置強化に関する交渉が決裂、既存の減産措置も2020年３月末に終了へ、これを受け原油価格は下落（速報）」（JOGMEC）https://oilgas-info.jogmec.go.jp/info_reports/1008604/1008709.html
同（2020b）「原油市場他：OPEC 及び一部非 OPEC（OPEC プラス）産油国で日量970万バレル程度の減産実施で合意（速報）」（JOGMEC）https://oilgas-info.jogmec.go.jp/info_reports/1008604/1008733.html
新田義孝（1994）「トリレンマと新しいパラダイム」（『電気学会論文誌Ｂ（電力・エネルギー部門誌）』114巻５号）
蓮見雄（2011）「EU のエネルギー政策とロシア要因について」（『石油・天然ガスレビュー』2011年９月号）https://oilgas-info.jogmec.go.jp/_res/projects/default_project/_project_/pdf/4/4493/201109_001a.pdf
同（2020）「ジオポリティクスからレジリエンスへ：次世代のエネルギー安全保障」（「世界経済評論 IMPACT」No.1835）
原田大輔（2019a）「ロシア：欧米による対露制裁を巡る動き（注目される三つの事象とウクライナ大統領選が持つ意味）」https://oilgas-info.jogmec.go.jp/_res/projects/default_project/_page_/001/007/733/190225_Russia_US_EUSanctions_r2.pdf
同（2019b）「ロシアが急速に進めるガス供給ルート多様化の背景に迫る」（『石油・天然ガスレビュー』2019年７月号）https://oilgas-info.jogmec.go.jp/review_reports/1007687/1007812.html
同（2019c）「ロシア：12月２日、中露天然ガス供給パイプライン「シベリアの力」が稼働を開始」（JOGMEC）https://oilgas-info.jogmec.go.jp/info_reports/1007679/1007948.html
同（2020a）「ロシア：Nord Stream 2に対して加熱する欧米の攻撃とロシア・ウクライナガストランジット契約交渉の経緯と妥結を振り返る」（JOGMEC）https://oilgas-info.jogmec.go.jp/info_reports/1008604/1008694.html
同（2020b）「ロシア：米国による対露制裁：これまで観測された注目すべき８つの事象」（JOGMEC）https://oilgas-info.jogmec.go.jp/info_reports/1008604/1008706. html
同（2020c）「ロシア：OPEC プラスによる新たな「協力宣言」に基づき、ロシアは史上最大の能動的減産へ」（JOGMEC）https://oilgas-info.jogmec.go.jp/info_reports/1008604/1008738.html
同（2020d）「ロシア：米国制裁によって中断した Nord Stream 2がデンマーク政府の建設許可により完成に向けて前進。当事者（露独）以外の第三者の思惑に振り回される同パイプラインの現状を読み解く」（JOGMEC）https://oilgas-info.jogmec.go.jp/info_reports/1008604/1008811.html
同（2020e）「ロシア・欧州：石油ガス収入上のドル箱・欧州が進める脱炭素化（水素戦略及び国境炭素税導入）の動きとロシアの対応（発表された2035年までの長期エネルギー戦略を中心に）」（JOGMEC）https://oilgas-info.jogmec.go.jp/info_reports/1008604/1008834.html

資源エネルギー庁「日本のエネルギー2022年度版「エネルギーの今を知る10の質問」」https://www.enecho.meti.go.jp/about/pamphlet/pdf/energy_in_japan2022.pdf
同「もっと知りたい！エネルギー基本計画⑥　安定供給を前提に、脱炭素化を進める火力発電」(2022年５月25日)https://www.enecho.meti.go.jp/about/special/johoteikyo/energykihonkeikaku2021_kaisetu06.html
同「水素社会の実現に向けて、世界で目標を共有した「第２回水素閣僚会議」」(2019年11月20日）https://www.enecho.meti.go.jp/about/special/johoteikyo/suisokakuryokaigi2019.html
同「CO_2等を用いた燃料製造技術開発プロジェクトの研究開発・社会実装の方向性（案）」(2021年10月）https://www.meti.go.jp/shingikai/sankoshin/green_innovation/energy_structure/pdf/007_02_00.pdf
年金積立金管理運用独立行政法人（GPIF）「2021年度 GPIF ポートフォリオの気候変動リスク・機会分析」https://www.gpif.go.jp/esg-stw/GPIF_ESGReport_FY2021_EX_J.pdf
みずほリサーチ&テクノロジーズ「合成燃料に関する海外の技術動向について」(2022年12月19日）https://www.meti.go.jp/shingikai/energy_environment/e_fuel/shoyoka_wg/pdf/001_07_00.pdf
林野庁「世界森林資源評価（FRA）2020メインレポート概要」https://www.rinya.maff.go.jp/j/kaigai/attach/pdf/index-5.pdf

【その他情報源・レポート】

秋月悠也（2021）「ロシアの長期 LNG 生産開発計画～脱炭素化の中で炭化水素資源の収益化を急ぐロシア～」(『石油・天然ガスレビュー』2021年７月号）https://oilgas-info.jogmec.go.jp/review_reports/1008941/1009095.html
酒井明司（2020）「ロシアの2035年までのエネルギー戦略」(『ロシア NIS 調査月報』2020年６月号）
佐藤史人（2014）「現代ロシアにおける権力分立の構造」(『名古屋大学法政論集』255号）
白川裕（2022）「プーチンひとりガス OPEC が操る LNG 市場の受難と分断進む世界の脱・脱炭素への黙示」(JOGMEC）https://oilgas-info.jogmec.go.jp/review_reports/1009247/1009479.html
杉山大志（2020）「直接空気回収技術（DAC）は地球温暖化問題を一発で解決するか」(キヤノングローバル戦略研究所）https://cigs.canon/article/20200918_5368.html
田中紀夫（2003）「エネルギー文明史——その１」(JOGMEC）https://oilgas-info.jogmec.go.jp/_res/projects/default_project/_project_/pdf/0/546/200311_053a.pdf
野神隆之（2008）「原油市場他：反転する原油価格、１バレル当たり150ドル目前から110ドル目前へ」https://oilgas-info.jogmec.go.jp/info_reports/1003722/1003810.html

参考文献

1　日本語資料

【書籍】

小山堅（2022）『エネルギーの地政学』（朝日新書）

塩原俊彦（2007）『パイプラインの政治経済学――ネットワーク型インフラとエネルギー外交』（法政大学出版局）

杉田弘毅（2020）『アメリカの制裁外交』（岩波新書）

杉本侃（2015）『サハリンの石油天然ガス開発――日ロエネルギー協力の歴史と期待』（日本評論社）

日本エネルギー法研究所編（2018）『エネルギーをめぐる国内外の法的問題の諸相』（日本エネルギー法研究所）

蓮見雄・高屋定美（2023）『欧州グリーンディールと EU 経済の復興』（文眞堂）

原卓也監修（1996）『読んで旅する世界の歴史と文化　ロシア』（新潮社）

本村眞澄（2005）『石油大国ロシアの復活』（アジア経済研究所）

ヤーギン、ダニエル（2012）『探求――エネルギーの世紀（上・下）』（伏見威蕃訳、日本経済新聞出版社）

同（2022）『新しい世界の資源地図――エネルギー・気候変動・国家の衝突』（黒輪篤嗣訳、東洋経済新報社）

【データ・統計等】

外務省「G７広島サミット（概要）」（2023年５月26日）https://www.mofa.go.jp/mofaj/ecm/ec/page4_005920.html

同「報道発表　ウクライナ情勢に関する外国為替及び外国貿易法に基づく措置について」（2022年12月５日）https://www.mofa.go.jp/mofaj/press/release/press4_009542.html

経済産業省「第２回水素閣僚会議、第１回カーボンリサイクル産学官国際会議、LNG 産消会議2019を開催しました」（2019年９月27日）https://warp.da.ndl.go.jp/info:ndljp/pid/11373696/www.meti.go.jp/press/2019/09/20190927003/20190927003.html

同「GX 実現に向けた基本方針」（2023年２月）https://www.meti.go.jp/press/2022/02/20230210002/20230210002_1.pdf

同「GX 実現に向けた基本方針（案）について～「成長志向型カーボンプライシング構想」の実現・実行～」（2023年２月２日）https://www.meti.go.jp/shingikai/sankoshin/green_innovation/pdf/010_02_00.pdf

同「水素基本戦略（概要）」（2017年12月26日）https://warp.da.ndl.go.jp/info:ndljp/pid/11038495/www.meti.go.jp/press/2017/12/20171226002/20171226002-2.pdf

ちくま新書
1748

エネルギー危機《きき》の深層《しんそう》
――ロシア・ウクライナ戦争《せんそう》と石油《せきゆ》ガス資源《しげん》の未来《みらい》

二〇二三年九月一〇日　第一刷発行

著者　原田大輔（はらだ・だいすけ）
発行者　喜入冬子
発行所　株式会社　筑摩書房
東京都台東区蔵前二―五―三　郵便番号一一一―八七五五
電話番号〇三―五六八七―二六〇一（代表）
装幀者　間村俊一
印刷・製本　三松堂印刷　株式会社

ISBN978-4-480-07580-2 C0233